GUSTAVO
CERBASI

OS SEGREDOS DOS CASAIS INTELIGENTES

SEXTANTE

edição
Anderson Cavalcante

preparo de originais
Alice Dias

revisão
Rafaella Lemos e Tereza da Rocha

projeto gráfico e diagramação
DTPhoenix Editorial

capa
Marcelo Pereira / Tecnopop

imagem de capa
Paul Bradbury/ Getty Images

impressão e acabamento
Associação Religiosa Imprensa da Fé

CIP-BRASIL. CATALOGAÇÃO-NA-FONTE
SINDICATO NACIONAL DOS EDITORES DE LIVROS, RJ

C391s Cerbasi, Gustavo, 1974-
Os segredos dos casais inteligentes / Gustavo Cerbasi. – Rio de Janeiro: Sextante, 2012.
160p.: il.; 14x21 cm

ISBN 978-85-7542-789-7

1. Casamento – Aspectos econômicos. 2. Casais – Finanças pessoais. 3. Orçamento familiar. I. Título.

CDD: 332.0240208655
12-2095 CDU: 330.567.2-058.833

GMT Editores Ltda.
Rua Voluntários da Pátria, 45 – Gr. 1.404 – Botafogo
22270-000 – Rio de Janeiro – RJ
Tel.: (21) 2538-4100 – Fax: (21) 2286-9244
E-mail: atendimento@esextante.com.br
www.sextante.com.br

À minha família – Adriana e os pequenos Guilherme, Gabrielle e Ana Carolina. O orgulho de vocês pelo que construímos juntos é a grande fonte inspiradora para continuarmos.

Sumário

Introdução 7

1. A teoria funciona na prática? 13

2. Conversar sobre dinheiro não é brigar 25

3. O que é meu é nosso 39

4. Até que ponto se deve unir totalmente as finanças? 57

5. Gastar bem faz bem 79

6. Dívidas? Talvez 99

7. Aposentadoria? Para que pressa? 119

8. Que dê certo mesmo quando não dá certo 139

9. Foco naquilo que vocês realmente querem 147

Agradecimentos 159

ALGUMAS RESSALVAS

Em vários momentos deste livro refiro-me ao casamento. Isto não significa que as reflexões sejam válidas somente para quem formalizou a união religiosa e/ou civil. Do ponto de vista das finanças, morar juntos já é um casamento. As reflexões, em sua maioria, também são aplicáveis a quem simplesmente compartilha moradia e decisões de pagamento, mesmo que não haja uma relação afetiva entre os envolvidos.

Há também várias menções a termos como marido/esposa, companheiro, pessoa amada e parceiro, que foram adotados para ilustrar ou exemplificar o contexto em que eu pretendia transmitir determinada reflexão, o que não impede a aplicação deste conteúdo a relacionamentos de diversas orientações religiosas, realidades econômicas, preferências sexuais, valores sociais e qualquer outro tipo de crença coexistente em nossa múltipla sociedade.

Como formulador de uma proposta para uma sociedade mais rica, utilizo conhecimentos e ferramentas que adquiri em meus estudos acadêmicos, em leituras livres e em situações cotidianas que a vida me deu a oportunidade de desfrutar. Teoricamente, minhas crenças pessoais não deveriam interferir nas reflexões sobre métodos que podem ser úteis a todos que têm acesso a este material. Entretanto, ao tecer considerações sobre métodos, lanço mão de críticas a determinadas escolhas pessoais e familiares de meus leitores. Em hipótese alguma essas críticas se propõem a induzir a opção por qualquer tipo de religião, partido político, ativismo ou mesmo time de futebol. O assunto aqui é prosperidade. E o ideal é que ela se torne viável para todos.

Introdução

Enriquecer é uma arte. Como em qualquer vertente artística, colherá melhores frutos o artista que se dedicar mais, que for perseverante, inspirado, disciplinado e que não se acomodar com resultados obtidos no passado. Quem aparentemente não nasce com determinado dom artístico pode desenvolvê-lo educando-se com afinco. Se isso não der origem a uma obra brilhante, ao menos resultará em um trabalho competente.

Todos esses argumentos valem também para a arte de construir riquezas ao longo da vida. Na arte de enriquecer, alguns encontram mais facilidade do que outros – talvez por vocação, talvez por uma educação que tenha aberto as portas certas. Por trás de um processo de enriquecimento deve haver a busca de informações, a inspiração para a pesquisa, a perseverança perante as perdas e a disciplina para sustentar planos que demoram a acontecer. É ao nos envolver com o assunto que desenvolvemos a técnica, seja ela inata ou não.

Em algum grau, todos querem enriquecer, mas nem todos conseguem se organizar para efetivamente batalhar por isso. Acredito que enriquecer é uma questão de escolha, por isso vejo em cada ser humano a capacidade de praticar essa arte – a diferença é que alguns têm se dedicado mais que outros, seja por vontade, seja por terem descoberto os caminhos certos antes de muitos.

Porém, assim como nas artes, a união de duas pessoas inspiradas em seus projetos pessoais nem sempre resulta em um fantástico dueto. Os motivos? Podem ser vários, do egoísmo à ganância, da individualidade à ignorância, ou simplesmente a falta de planos adequados.

Por mais geniais que sejam os artistas, não basta uni-los. É preciso que eles se inspirem para construir um projeto comum caso realmente queiram ver sua obra de arte se tornar genial.

Não importa quão competente você é na arte de enriquecer. Teoricamente, lidar com o dinheiro deveria ser uma tarefa mais simples de se fazer em família do que individualmente. Afinal, duas cabeças pensam melhor que uma. Porém, a prática mostra que, de simples, essa tarefa não tem nada. O que funciona para um indivíduo não necessariamente funcionará para outro ou para a vida a dois, pois existe toda uma complexidade de sentimentos, hábitos e histórico familiar envolvidos. Isso se traduz em duas pessoas com vontades diferentes, expectativas de consumo diferentes, níveis de ansiedade diferentes, conhecimentos diferentes e habilidades diferentes, principalmente quando se trata de habilidades matemáticas ou econômicas.

Por isso não basta seguir um punhado de regras predefinidas.

Unir forças não é garantia de um conjunto mais forte, principalmente quando o assunto é riqueza. Quantos casamentos terminam em divórcio por causa de dinheiro? O mesmo acontece com parceiros de negócios, irmãos, comerciantes e clientes. O dinheiro é o meio que viabiliza nossas ambições, por isso mexe com nossas emoções.

Pense nos motivos que geram brigas entre casais que você conhece. Por exemplo, buscando seu bem-estar, alguém gasta dinheiro sem contar ao seu parceiro. Ou um dos dois perde o emprego, a renda combinada cai e eles não podem mais comprar certas coisas. Ou famílias não se entendem em razão de hábitos de consumo diferentes. E o que falar de casais que têm que lidar com a pensão de filhos de relacionamentos anteriores? Pesquisas mostram que assuntos relacionados ao dinheiro são o segundo maior motivo de separação no mundo, perdendo apenas para a infidelidade.

Sou muito feliz em meu casamento com a Adriana. Mas se você acha que é porque ganho muito dinheiro com o sucesso de meu trabalho, quero derrubar esse mito desde já. Em nosso relacionamento, nem sempre tivemos a tranquilidade e a disponibilidade financeira que temos hoje. Na verdade, problemas foram frequentes – e até mais frequentes do que na vida de muitos de meus amigos –, pois comecei a trabalhar tarde. No início de nosso namoro, nossa renda mal dava para a alimentação. Morávamos com nossos pais. Nosso luxo era jantar fora às sextas-feiras – com sorte, três semanas de hot dog ou comidinhas de padaria permitiam fechar o mês com um jantar mais romântico.

Aos 24 anos, eu ganhava menos do que a maioria de meus amigos. Acompanhar as amizades, principalmente quando todos começaram a celebrar seus casamentos, nos fez passar por algumas privações. E privar-nos de pequenas tradições quando ainda estamos na fase do namoro certamente não é a forma mais fácil de fortalecer uma relação. Porém, o hábito de fazer sacrifícios e compensá-los com recompensas logo passou a ser uma marca de nosso namoro. Apertávamos o cinto para alcançar projetos mais ambiciosos, como um fim de semana com amigos em uma pousada ou ingressos para um parque temático perto de casa. Conversávamos sobre casamento, que parecia um sonho distante para nossa renda. Mas a vontade de casar nos fez colocar a faca nos dentes e correr atrás de nosso desejo. Passamos a trabalhar mais, deixamos de jantar fora e passear, poupamos como poucas pessoas conseguem fazer e realizamos não só esse sonho, mas muitos dos que vieram depois.

Mesmo assim, nosso dinheiro era canalizado para objetivos bem definidos entre o casal. Não sobrava para excessos. Não dá para afirmar que levávamos uma vida confortável. Por outro lado, conversávamos muito sobre isso, dividindo o assunto com amigos. Assim, um de nossos objetivos principais passou a ser mudar essa realidade. Decidimos poupar para termos mais opções na vida, mas também tínhamos a certeza de que não queríamos passar a vida toda na expectativa da mudança. Queríamos passar a viver melhor, e em breve.

Encontrar um caminho enquanto ainda éramos jovens nos trouxe grande motivação e fôlego para os desafios do trabalho de ambos. Felizmente, apesar das várias pequenas discussões que tivemos sobre nossas escolhas financeiras, não tivemos que administrar problemas realmente graves de relacionamento por causa de dinheiro. Creio que o jogo aberto e o esforço em buscarmos respostas rápidas (nem sempre viáveis) para superar situações de conflito ajudaram a nutrir nossa união.

Tínhamos os conflitos típicos de outros casais, mas nos orgulhávamos de termos aprendido a lidar com isso. Como eu tinha uma agenda ocupada com aulas, o que dificultava expandir minha atividade como consultor, decidi fazer dos livros um instrumento para ensinar às pessoas aquilo que eu e Adriana praticávamos em nossa vida. Eu havia estudado muito o assunto, era professor de Finanças e tive a felicidade de descobrir uma maneira aparentemente saudável de construir minha riqueza.

Foram as lições que aprendi nessa deliciosa experiência de vida com a Adriana que levei para os meus livros.[1] *Casais inteli-*

[1] Veja a relação completa de minhas obras em http://www.maisdinheiro.com.br/livros.

gentes enriquecem juntos, meu maior best-seller, trata – acredito que sem muita complicação – justamente da forma de cuidar do dinheiro que conduz famílias a uma situação de maior prosperidade e equilíbrio. Hoje, com mais de 1 milhão de exemplares vendidos em vários países e após ter sido transformado em roteiro de cinema, tornou-se um manual para casais em todas as fases do relacionamento.

Porém, mesmo com minha dedicação a formular e revisar um modelo simples, e apesar do sucesso daquele livro, diariamente recebo comentários de leitores com dúvidas sobre questões específicas e situações que aparentemente podem colocar em xeque algumas de minhas ideias. Entretanto, hoje elas não são apenas ideias. Foram testadas e validadas em centenas de casos de consultoria que atendi entre os anos 2000 e 2008, o que me permite aperfeiçoar alguns argumentos e reforçar meu ponto de vista nos pontos em que a teoria merecia ajustes.

Há algo mais a discutir. Os casais que são felizes em seu relacionamento e que têm sucesso nas finanças adotam algumas práticas, nem sempre conscientes, que os ajudam a conduzir melhor suas escolhas. Algumas delas foram aprendidas com exemplos dos pais, outras com o convívio social, e outras tantas podem ter surgido simplesmente da química entre o casal. Não importa a origem: existem práticas que podem fazer seu relacionamento e sua vida financeira mudarem para melhor, e foi para tratar delas que decidi escrever este livro.

Essas práticas são recomendadas com base em exemplos e novas ideias que chegaram até mim nas consultorias e em contatos feitos por leitores, tanto aqueles com problemas quanto os que encontraram soluções criativas – às vezes geniais – para o sucesso de suas finanças. Afinal, a melhor coisa de meu trabalho é acumular histórias e poder compartilhá-las, para que mais gente possa viver em harmonia com o dinheiro e com a pessoa amada.

Essa é a forma que escolhi para educar e que me proporciona muita realização. Se este livro mudar ao menos um pouquinho sua atitude em relação ao dinheiro e ao seu relacionamento amoroso, meu esforço terá valido a pena. Afinal, essa mudança será um passo importante para seu enriquecimento, pois, quando se trata de dinheiro, pequenas ações presentes geram enormes resultados que se multiplicam com o tempo. Não é crença, não é fé. A racional matemática financeira explica isso.

Boa leitura!

1

A teoria funciona na prática?

Enriquecer é uma questão de escolha

Nos livros que escrevi anteriormente, apresentei um método para construção de riquezas que é intuitivo e fácil de se entender – creio que o desafio seja colocá-lo em prática. Se um indivíduo, um casal ou um grupo de pessoas que vivem juntas deseja enriquecer, deve seguir o seguinte raciocínio:

1. Gastar o dinheiro que ganha com qualidade, a ponto de obter satisfação no consumo cotidiano.
2. Porém, ter a certeza de gastar menos do que aquilo que ganha, pensando em ter dinheiro também na fase menos produtiva a que possivelmente chegará no futuro.
3. O dinheiro que sobra deve ser investido, não apenas reservado ou poupado, para que se multiplique melhor e proporcione um padrão de vida confortável no futuro.
4. Continuamente estudar o desempenho dos investimentos e suas possíveis alternativas, para não perder rendimento ao longo do tempo e garantir que o dinheiro investido seja multiplicado de maneira eficiente.

O método é aparentemente simples: gastar com qualidade menos do que o que você ganha e investir com inteligência o pouco que sobra. Nas páginas seguintes, detalho como isso deve ser feito. De qualquer maneira, uma vez que o método passa a ser praticado, acredito que não sejam necessárias mais do que duas ou três horas por mês para conseguir controlar seu orçamento e pensar em melhorar as escolhas de consumo. E, para adquirir um aprendizado contínuo e consistente sobre investimentos, outras duas horas por mês já fariam grande diferença.

Por que, então, muitas pessoas ainda têm dificuldade para colocar em prática esse modelo? Será que falta vontade de enriquecer? Não creio.

Na verdade, a dificuldade está no fato de que toda teoria é simples quando aplicada em um cenário perfeito, sem interferências de problemas acumulados, vícios de comportamento e falta de tempo para se organizar. Em muitos casos as famílias não conseguem gastar menos do que aquilo que ganham porque argumentam que já começam o mês no vermelho ou porque o que ganham não paga sequer a condição mínima de dignidade.

Vejam o e-mail que recebi de Yara,[1] uma leitora de Santo André, na Grande São Paulo, cidade que possui um elevado custo de vida:

> *Estamos tentando seguir suas recomendações, mas confesso que não tem sido fácil. A meta era poupar R$ 100 mensais, mas a conta não fecha! Dos cerca de R$ 1.800 líquidos que ganhamos, já incluída a aposentadoria de minha mãe, que mora conosco, gastamos:*

[1] Os nomes são sempre fictícios nos exemplos citados para preservar o devido sigilo das pessoas envolvidas.

R$ 700 com a prestação da casa
R$ 400 com o supermercado
R$ 300 com carnês de compras realmente necessárias (fogão, televisão e telefone que meu marido usa para trabalhar)
R$ 100 com a conta do telefone (é o plano mínimo)
R$ 150 com água e luz
R$ 150 com remédios para minha mãe

O transporte para o trabalho é pago com o vale-transporte que a empresa oferece, não entra na conta. Por mais que a gente tente, não há como cortar gastos. E olha que ainda não temos filhos! O que você sugere?

Percebam que de nada adianta a recomendação de gastar menos do que se ganha, porque a família criou uma condição que não permite cortes imediatos de gastos. Aparentemente é uma situação insolúvel, já que o orçamento da família apresenta apenas gastos básicos, sem supérfluos a cortar. Porém, há uma série de gastos que resultaram de escolhas que o casal fez no passado, muitas delas bem-intencionadas, mas que poderiam ter sido mais econômicas.

Por exemplo: será que o casal poderia ter optado por modelos de telefone e eletrodomésticos um pouco mais simples, cujas prestações mensais fossem alguns reais mais baratas? Será que, em vez de comprar uma casa cuja prestação é de R$ 700, não poderiam ter comprado uma com prestação menor? E no supermercado, será que o casal atenta para os produtos que estão com preço em baixa, para comprá-los no lugar daqueles que subiram de preço em determinado mês?

Além disso, percebe-se que o casal está procurando equilibrar as finanças – isto é, poupar parte do que ganha – sem se preocupar com uma verba para o lazer. Isso é preocupante, pois o lazer, além de nos fazer bem e nos motivar para o trabalho, é um tipo de gasto que pode ser cortado quando surge um imprevisto. Se o casal já está apreensivo em razão da rotina que impossibilita a poupança, imagine se acontecer uma emergência. De onde sairá o dinheiro para pagá-la ou para honrar um eventual empréstimo? É por isso que muitas famílias se arruínam.

Onde está o problema? É preciso mudar a maneira de fazer as escolhas do casal, principalmente as grandes, aquelas que terão impacto na vida a dois por muitos anos. Nos capítulos seguintes, ensinarei a fazer isso.

Antes de aprender COMO fazer, entretanto, é preciso saber O QUE fazer.

O primeiro passo é identificar quão distante de um desejável equilíbrio estão você e sua família. A tabela da página ao lado apresenta uma escala que vai do endividamento absoluto ao equilíbrio, e serve apenas para que vocês entendam de que ponto deve começar seu projeto de construção de riqueza. Assinale neste *checklist* a seguir a situação que melhor descreve suas contas.

Dependendo da situação em que vocês se encontram, alguns dos passos que devem ser seguidos para equilibrar suas finanças podem ser dispensados. Mas, de qualquer forma, apresento aqui os **10 passos para equilibrar sua situação financeira e passar a multiplicar riquezas:**

1. Negociar as dívidas

Quando as dívidas fogem ao controle, é preciso encarar o problema de frente e agir rápido para que os juros parem de alimentar o saldo devedor, que cria o chamado efeito bola de neve. Façam uma relação de todos os credores, identifiquem o valor

❑	**Endividamento crítico**	É quando as dívidas já fugiram ao controle, a ponto de o casal não saber quais contas deve pagar e ter dificuldades para obter crédito.
❑	**Endividamento grave**	Nem todos os compromissos do mês podem ser honrados. As dívidas vêm crescendo mês a mês, mas o casal ainda consegue encontrar fontes de crédito para chegar ao fim do mês.
❑	**Endividamento moderado**	As dívidas incomodam, mas estão sob controle e se mantêm estáveis.
❑	**Endividamento eventual**	O casal possui apenas dívidas planejadas, como financiamentos de casa, carro e educação, e eventualmente recorre ao cheque especial ou a empréstimos para quitar contas.
❑	**Falso equilíbrio**	O casal não tem ou raramente contrai dívidas, mas também não consegue poupar.
❑	**Poupança moderada**	Recursos são poupados eventualmente e/ou para emergências. O casal gostaria, mas não tem planos claros de viver desses recursos na aposentadoria.
❑	**Poupança planejada**	O casal poupa para a aposentadoria e para outros objetivos, mas tem consciência de que deveria poupar mais.
❑	**Equilíbrio**	O casal poupa o suficiente para garantir seu padrão de vida no futuro e também para necessidades eventuais, mesmo que recorra ao crédito como parte de sua estratégia de enriquecimento.

total devido e façam um levantamento de quais bens podem ser vendidos, quais contas podem ser cortadas radicalmente e quanto pode ser obtido com horas extras de trabalho e serviços avulsos. Nessa fase, todo sacrifício é válido, mas o ideal é que seja concentrado no menor prazo possível. Usem sua estimativa de recursos disponíveis para negociar com credores e priorizem as dívidas que crescem mais rapidamente em caso de atraso.

2. Eliminar dívidas não planejadas

Uma vez negociadas as dívidas, obtenham empréstimos a juros mais baixos para quitar de vez aqueles que custam mais. Mesmo que vocês continuem devendo, melhor que seja a um custo mais baixo. Um empréstimo pessoal ou um empréstimo consignado (aquele com desconto direto no contracheque) não são baratos, mas passam a ser interessantes quando usados para quitar o saldo do cartão de crédito ou o cheque especial, que custam mais. O ideal é que, ao tomar um novo empréstimo, vocês estejam seguros de que as parcelas a serem assumidas caberão no orçamento dos meses seguintes, para não recorrer novamente aos empréstimos convenientes e mais caros. Na dúvida, prefiram esticar mais o prazo de pagamento, o que garante parcelas menores.

3. Fortalecer o crédito

Devedores têm uma imagem ruim no mercado de crédito e por isso sempre pagam juros mais altos. Se vocês nunca tiveram problemas com dinheiro, ou se tiveram e já solucionaram, é importante que façam o mercado saber disso. Como? Adotando práticas que forcem o sistema financeiro a baixar os juros cobrados de vocês. Evitem usar o cheque especial com frequência, jamais paguem um centavo a menos do que o valor total da fatura do cartão de crédito, valorizem a pontualidade ao honrar dívidas e mantenham contato com seu gerente de banco. Conversem sobre sua saúde financeira, principalmente se ela for boa. Bancos precisam de clientes saudáveis e tentam seduzi-los para que aumentem o volume de negócios.

4. Formar uma reserva de emergências

Se vocês ainda não contam com uma reserva de emergências, esqueçam a aposentadoria, a casa própria ou a formação de poupança para qualquer outro sonho. Nada disso funcionará se, diante de um imprevisto, vocês tiverem que sacar recursos que vinham sendo poupados para realizar sonhos. A reserva de emergências é uma poupança específica para lidar com imprevistos, como problemas de saúde ou presentes não planejados, sem ter que comprometer o planejamento de metas importantes na vida. O ideal é que todos tenhamos uma reserva equivalente a, pelo menos, três meses de nosso gasto mensal, ou seis meses, caso exista o risco de desemprego. A reserva mantém a estabilidade do lar enquanto a tempestade não passa. Ela deve ser formada o quanto antes, por isso vale assumir alguns meses de cortes de gastos mais intensos até que esteja estabelecida. E os recursos devem ser investidos com segurança e em algo que garanta disponibilidade imediata, como poupança, CDBs, fundos de renda fixa ou títulos públicos.[2] Se seu orçamento não permite formar reservas, lembre-se de minhas reflexões sobre o caso da Yara no início deste capítulo. Vale sofrer algumas privações por alguns meses, já que o objetivo é conquistar uma situação de estabilidade nas escolhas.

5. Melhorar a qualidade de consumo

Qualidade de consumo é gastar seu dinheiro com o que mais contribui para a sua felicidade. É importante garantir verbas para nosso bem-estar e nossa qualidade de vida, que é o que nos motiva e nos faz felizes. Explicarei em detalhes como melhorar sua qualidade de consumo no capítulo 4.

---

[2] Títulos públicos podem ser resgatados apenas uma vez por semana, às quartas-feiras.

6. Planejar a renda na aposentadoria

Não conheço ninguém que tenha planos de trabalhar arduamente até o último dia de vida. Mesmo que gostem do que fazem, é interessante pensar em diminuir o ritmo de trabalho a certa altura para não sobrecarregar a saúde e aproveitar mais a vida. Por isso, poupem uma parte do que ganham. Se não têm pressa de se aposentar, cerca de 10% da renda ou um pouco menos será suficiente para uma aposentadoria digna. Se, por outro lado, vocês vivem num ritmo estressante no trabalho, convém poupar uma parte maior da renda, para que tenham maior segurança para mudar os rumos da carreira em breve. Contratar um plano de previdência privada é uma boa escolha para começar, mas vocês podem melhorar bastante o desempenho de sua aposentadoria se seguirem os passos 8 e 9.

7. Poupar regularmente para objetivos de curto e médio prazos

Se vocês têm grandes sonhos a concretizar na vida, parem de sonhar e comecem a construí-los. Isso se faz transformando o sonho em meta, ou seja, estimando o prazo e o valor necessários para que ele aconteça, para então dar início a um processo de disciplina e perseverança. Se objetivos futuros são realmente importantes para vocês, deveriam merecer a mesma importância que compromissos a pagar no presente. Afinal, cada sonho realizado nos motiva a continuar perseguindo os que ainda não aconteceram. Uma vida sem sonhos é uma vida pobre. Mudem a ordem de suas escolhas. Coloquem sonhos para acontecer, mesmo que tenham que mudar significativamente seu estilo de vida. Detalhe importante: saibam priorizar seus planos. Sonhos de curto e médio prazos só devem ser construídos por quem já tem uma reserva de emergências constituída e em complemento a um plano para a aposentadoria.

8. Estudar continuamente alternativas de investimentos

Ao longo de vários anos, pequenas diferenças de rentabilidade se traduzem em algumas dezenas, talvez centenas de milhares de reais no seu patrimônio futuro. Não se acomodem caso tenham a sensação de que o dinheiro de vocês está bem investido. Adotem como hábito, ao menos uma vez ao ano, pesquisar produtos concorrentes àqueles em que vocês investem, para avaliar se o mercado tem algo melhor a lhes oferecer. A internet facilita bastante esse tipo de pesquisa. Quanto mais se dedicarem ao conhecimento sobre investimentos, melhor vocês investirão, e mais renderá o dinheiro poupado com sacrifício.

9. Envolver-se com o mercado de investimentos

Enquanto trabalhamos intensamente, não temos como dedicar muito tempo aos investimentos, e por isso nossa missão é pesquisar diferentes instituições para identificar a que nos prestará o melhor serviço. Porém, é razoável supor que bons prestadores de serviço merecem ser bem pagos. Quando chegar o momento em que vocês puderem administrar seu tempo com mais tranquilidade, será interessante arregaçar as mangas e se envolver com algum mercado de investimentos, aquele com o qual se sintam mais à vontade. Pode ser ações, imóveis, gado, leilões, negócio próprio, franquia, revendas ou qualquer modalidade que permita comprar algo barato e vender caro. Quanto mais vocês estudarem, frequentarem eventos e lerem sobre o assunto, mais entenderão e mais se anteciparão em aproveitar oportunidades. Isso tende a acelerar o processo de multiplicação de riquezas em suas vidas.

10. Administrar o equilíbrio

Caso sigam os passos anteriores com planejamento e disciplina, é possível que vocês alcancem uma situação extremamente gratificante: a de contar com patrimônio suficiente para garantir rendimentos que custeiem seus hábitos de consumo. Quando isso acontecer, vocês terão alcançado a chamada independência financeira. Não significa que será necessariamente hora de parar de trabalhar, mas que vocês terão liberdade para decidir como tocar a vida, seja desfrutando plenamente, seja trabalhando naquilo que amam. Nessa situação, o dinheiro ganho com o salário não tem mais utilidade para pagar contas, já que o rendimento do patrimônio assume esse papel. Na independência financeira, cada dia de trabalho remunerado significará um aumento no patrimônio. Por sua vez, esse aumento garantirá maior rendimento, o que significará um pequeno aumento na renda perpétua da família enquanto continuarem trabalhando. É muito interessante!

Apresento 10 passos para construir riqueza em suas vidas, com as respectivas recomendações para que aconteçam – essa orientação está presente em muitos livros, cartilhas e reportagens sobre planejamento pessoal. Mesmo assim, muitos não conseguem praticá-los. É preciso adotar a atitude certa para eliminar determinados vícios e sair do círculo vicioso, da rotina que nos prende à estagnação financeira.

Alguns casais fazem isso muito bem, e é sobre o que eles fazem que eu tratarei a partir de agora. Nos capítulos seguintes, abordarei práticas que fazem do planejamento – não apenas financeiro – uma rotina agradável e apaixonante para o casal.

10 PASSOS PARA A CONSTRUÇÃO DE RIQUEZAS

2

Conversar sobre dinheiro não é brigar

Mais cedo ou mais tarde, o assunto virá à tona.
Que seja enquanto estamos vivos!

– Amor, nosso filho já tem 15 anos! Eu ainda posso ter mais um. Ou mais uma.
– Laura, a gente ainda não quitou esta casa, temos a faculdade do Bruno daqui a três anos, nós ainda não temos um pé-de-meia..
– Ai, não, esse papo de novo não!
– Tá, então só vou te dar um número: 70.
– Setenta o quê?
– Setenta por cento dos casais que se separam, se separam depois do segundo filho. Pense nisso!
– Tá, vou te dar outro número: 37.
– Trinta e sete o quê?
– ANOS! Eu tenho 37 anos, Amauri. E não tenho a vida toda para esperar. O meu reloginho não para e tá batendo! Pense nisso!

Diálogo entre Laura e Amauri, no filme
Até que a sorte nos separe

Como é difícil chegar a um consenso, não? Expectativas conflitantes entre o casal inevitavelmente interferem na relação. Porém não é razoável supor que o casal perfeito deva ser composto por pessoas com expectativas iguais. Afinal, o que os uniu foram as diferenças!

A grande magia de uma relação a dois é exatamente aquilo que o outro agrega a nossa vida, ou seja, a diferença que existe entre os dois. Apaixonamo-nos quando encontramos alguém que nos leva a lugares diferentes, que curte o que curtimos de maneira diferente, que nos ensina a ver o mundo de forma diferente. Um casamento é interessante quando um mais um resulta em mais que dois.

Tentar moldar as expectativas e o comportamento de quem amamos para que exista 100% de consenso é contra a natureza, pois isso só é possível quando há 100% de afinidade. E essa afinidade total não é boa, tende à monotonia, pois significa 0% de novidade ao conhecer o outro. Apaixonamo-nos pelas diferenças, pelo tanto que o outro nos faz transformar nossas vidas.

Por isso, mesmo entre aqueles invejáveis casais em que aparentemente existe afinidade total, sintonia nas escolhas e uma harmonia que chega a incomodar os mais convencionais, acredite: essa sintonia não existe. O que salta aos olhos, na verdade, é a capacidade que eles têm de lidar com as diferenças.

Essa capacidade pode ser desenvolvida e aperfeiçoada, desde que reconheçamos as diferenças e também nossas limitações. Um dos segredos é conversar mais sobre as finanças, para que nos conheçamos melhor e saibamos quando nossa atitude em relação ao dinheiro é motivadora e quando ela entra em conflito com os planos de nosso companheiro.

Obviamente, temos consciência de que não é apenas o assunto dinheiro que é pouco explorado pelos casais. A correria imposta pela vida moderna faz com que o tempo que o casal tem disponível para si seja exíguo. Por isso é natural evitarmos assuntos menos agradáveis ou que tendem a conflitos. Existe saída? Sim! Conversar sobre dinheiro já foi difícil, quando o assunto era tabu. Hoje é só acessar um portal de notícias ou abrir o jornal ou uma revista de variedades, que estará lá algum tema ligado a dinheiro para provocar um comentário ou suscitar um papo sobre o assunto. Entretanto, não basta tocar no assunto, pois os problemas geralmente começam na forma com que se conduz a conversa.

O primeiro e mais grave erro é supor que o outro está errado. Se há algum tipo de problema financeiro em um casal, normalmente o motivo é a falta de planejamento a dois – algo que requer aquela dedicação de tempo tão rara hoje em dia. Alguns exemplos comuns de problemas decorrentes da falta de conversa são:

- **Compras compulsivas.** Na grande maioria dos casos, o banho de shopping nada mais é que uma fuga, uma válvula de escape. A falta de planos para preencher nossa necessidade de desfrutar a vida faz com que busquemos satisfação em situações cotidianas – e não há prazer mais instantâneo do que comprar algo, principalmente quando há o típico processo de sedução que caracteriza a arte de vender. Quando temos um projeto motivador a concretizar e planos para que ele aconteça, há argumentos mais fortes para dizer "não" à sedução de um vendedor.
- **Conta no vermelho.** Por mais preciso que seja o orçamento, por mais que conheçamos nossos gastos, dificilmente manteremos as finanças equilibradas se não houver uma comunicação ágil entre o casal quando acontece algum gasto maior do que o previsto. Nessas horas é preciso consultar o orçamento e optar por cortes em outros gastos para compensar o imprevisto. Porém, na maioria dos casais, quem decide muitas compras nem sempre é o mesmo que planeja. Sem conversa, a conta não fecha.

- **Excesso de poupança.** Poupar em excesso pode garantir finanças sólidas no futuro, mas qual a vantagem de ter muito dinheiro se desaprendermos a viver? O ideal é investir em uma vida bem vivida, tomando os cuidados mínimos para que o bem viver não falte amanhã. Isso se faz planejando. E, para que ambos estejam realmente felizes, o planejamento deve ser feito a dois. Devemos poupar não o máximo que podemos, mas sim o mínimo de que precisamos para manter no futuro, com qualidade, as boas escolhas que fazemos hoje. Equilíbrio é a palavra-chave.
- **Fracasso ao perseguir objetivos.** Se um casal não dá a seus planos de médio e longo prazos a mesma importância que dá às despesas do mês, a única certeza que terá na vida é pagar contas. É por isso que uma das primeiras lições em planejamento financeiro é "paguem-se primeiro". Em outras palavras, reservem o dinheiro para seus planos importantes assim que receberem a renda, antes de começar a gastar no dia a dia. Entrou dinheiro na conta? Direcionem imediatamente as parcelas que vocês se comprometeram a guardar para a previdência, para as próximas férias e para uma segunda lua de mel. Não se comprometeram a fazer nada disso? Não conversaram sobre outra lua de mel? Bingo! Descobrimos o problema!
- **Excesso de imprevistos.** Problemas acontecem. Só que, se acontecem e não estamos preparados para eles, é esperado que isso impacte nossa rotina e tire nosso foco do trabalho e das atividades do dia a dia. Com isso, aumentam as chances de mais imprevistos acontecerem, o que pode gerar um efeito dominó nos nossos planos futuros. É por isso que, às vezes, temos a sensação de estar em um inferno astral ou em um dia "daqueles". Que tal começar a conversar sobre planos B para eventuais imprevistos?
- **Más escolhas de investimentos.** Não é tarefa simples decidir onde iremos multiplicar nosso dinheiro ao longo dos

próximos meses ou anos. Mas, sem dúvida, a decisão é muito mais segura quando pensada a dois, já que duas cabeças pensam melhor do que uma. Por mais que o companheiro não entenda do assunto, abra a guarda um pouquinho, provoque uma conversa. Uma dúvida ingênua pode chamar atenção para armadilhas simples que, muitas vezes, passam despercebidas por algum investidor tomado por excesso de confiança.

- **Desvios de comportamento.** Ansiedade, frustração, depressão, perda do apetite sexual e falta de concentração motivados pela situação financeira da família não raro são confundidos com uma dificuldade individual, quando, em muitos casos, são resultado de uma repetição crônica de algum dos problemas citados acima ou algo parecido. Antes de julgar seu companheiro pelo ritmo do trabalho dele, que tal conversar um pouquinho sobre os planos de vocês? Que tal buscarem juntos uma rotina mais saudável, em todos os aspectos?

Não fiz questão de esgotar os típicos problemas financeiros, mas sim de exemplificar os mais comuns. Percebam a importância de buscar uma rotina mais disciplinada e organizada, cuja recompensa é a menor probabilidade de ter esses problemas na vida. Pode ser que, por um motivo ou outro, o planejamento não os leve a acumular fortunas. Porém, é certo que, no mínimo, o planejamento trará muito mais paz à vida do casal.

Se essa paz é rara no lar, é hora de agir.

Preparei um teste simples para avaliar até que ponto o casal precisa evoluir em termos de discussão das finanças da família. Mesmo que as questões se refiram ao casal, levo em consideração que o livro é lido individualmente, e que cada um dos dois irá responder às perguntas também individualmente. Anote suas respostas em uma folha à parte.

TESTE

O casal conversa de maneira saudável sobre dinheiro?

1. Em algum momento, nos últimos seis meses, o casal conversou sobre o que falta para que cada um se sinta mais feliz?

❑ SIM ❑ NÃO ❑ NÃO SE APLICA

2. A família está fazendo, no momento, algum tipo de esforço ou sacrifício regular para poupar a fim de alcançar um objetivo de significativo valor financeiro, como uma viagem, uma festa ou ao menos a aposentadoria?

❑ SIM ❑ NÃO ❑ NÃO SE APLICA

3. Ambos sabem qual é o maior sonho que o companheiro deseja realizar na vida?

❑ SIM ❑ NÃO ❑ NÃO SE APLICA

4. O casal reserva um momento na agenda exclusivamente para conversar sobre as finanças ao menos uma vez ao mês?

❑ SIM ❑ NÃO ❑ NÃO SE APLICA

5. Filhos pequenos (menos de 10 anos) têm consciência de que o casal pratica uma conversa regular sobre as finanças do lar?

❑ SIM ❑ NÃO ❑ NÃO SE APLICA

6. Filhos maiores (10 anos ou mais) são convidados a opinar e/ou a assumir tarefas para contribuir com a organização das finanças da família?

❑ SIM ❑ NÃO ❑ NÃO SE APLICA

7. Ambos conhecem a renda total da família, ao menos aproximadamente?

❑ SIM ❑ NÃO ❑ NÃO SE APLICA

8. Ambos conhecem o valor total do patrimônio que possuem conjuntamente?

❑ SIM ❑ NÃO ❑ NÃO SE APLICA

9. Em algum momento da vida do casal houve uma conversa sobre as consequências da morte de um dos dois?

❑ SIM ❑ NÃO ❑ NÃO SE APLICA

10. Existe uma estratégia claramente discutida entre o casal que considere o que deve ser feito para preservar o estilo de vida em caso de morte de um dos membros do casal?

❑ SIM ❑ NÃO ❑ NÃO SE APLICA

11. Existe uma estratégia claramente discutida entre o casal que considere o que deve ser feito para preservar o estilo de vida em caso de desemprego de um dos dois ou do provedor?

❑ SIM ❑ NÃO ❑ NÃO SE APLICA

12. Em algum momento da vida do casal houve uma conversa sobre as consequências de receber um dinheiro inesperado, como uma herança, bônus ou prêmio de loteria?

❑ SIM ❑ NÃO ❑ NÃO SE APLICA

13. Existe uma estratégia claramente discutida entre o casal que considere o que deve ser feito caso surja um dinheiro inesperado?

❑ SIM ❑ NÃO ❑ NÃO SE APLICA

14. Em algum momento da vida do casal houve alguma conversa sobre como deveriam proceder caso o relacionamento não fosse adiante e um divórcio fosse inevitável?

❑ SIM ❑ NÃO ❑ NÃO SE APLICA

15. Ambos sabem dos hábitos e da situação financeira da família do companheiro?

❑ SIM ❑ NÃO ❑ NÃO SE APLICA

16. Ambos sabem o que a família de cada um pensa sobre as escolhas financeiras do casal e de cada um individualmente?

❑ SIM ❑ NÃO ❑ NÃO SE APLICA

17. As regras para que os filhos lidem com o dinheiro são estabelecidas de comum acordo entre o casal?

❑ SIM ❑ NÃO ❑ NÃO SE APLICA

18. As contas-correntes do casal são conjuntas?

❑ SIM ❑ NÃO ❑ NÃO SE APLICA

19. Existe total transparência no uso que cada um dá a seu dinheiro?

❑ SIM ❑ NÃO ❑ NÃO SE APLICA

20. O casal conversa com amigos sobre investimentos e planos de bens a adquirir?

❑ SIM ❑ NÃO ❑ NÃO SE APLICA

Pontue as respostas da seguinte maneira:

- Some 1 ponto para cada resposta SIM;
- Subtraia 1 ponto para cada resposta NÃO;
- As respostas N/A (não se aplica) não alteram a pontuação.

Avaliação

Entre –20 e –8 pontos: O diálogo sobre dinheiro entre o casal está muito aquém do mínimo recomendável para estabelecer uma relação saudável e equilibrada do ponto de vista financeiro. Que tal começar a conversar um pouco mais sobre caminhos para alcançar sonhos que vêm sendo esquecidos no fundo do baú?

Entre –7 e +7 pontos: O casal mantém um jogo aberto nas questões financeiras, mas ainda não consegue discutir ou praticar os aspectos mais críticos do dinheiro, o que pode abalar seriamente a relação diante de um imprevisto. Revejam as questões em que perderam pontos e comprometam-se a conversar sobre esses problemas o quanto antes.

Acima de 8 pontos: Felizmente o casal mantém uma relação minimamente saudável com o dinheiro. Mas melhorar nunca é de mais. Na próxima conversa sobre orçamento, incluam no papo ao menos um dos pontos que impediu que o casal chegasse no mínimo a 15 pontos.

Uma reflexão importante: lembre-se de que sugeri que cada membro do casal respondesse ao teste individualmente, mesmo sendo um teste para avaliar o comportamento do casal. Se, ao fazer isso, chegaram a resultados muito discrepantes, é sinal de que ainda falta bastante para vocês alcançarem escolhas mais harmoniosas ou o desejado consenso. Falta entendimento da situação atual, o que indica que a situação futura é totalmente nebulosa. Atentem para isso, mas não se preocupem – é também para casos extremos assim que servem os capítulos seguintes.

A recomendada conversa sobre dinheiro deve levar em consideração as dificuldades acumuladas nos últimos anos e a possibilidade de um dos membros do casal – ou mesmo ambos – ter dificuldades em adotar práticas de organização pessoal.

Não considero razoável supor que ambos se interessarão pelas finanças, nem que as rotinas de cuidado com o dinheiro devam ser divididas. Em todo casal, sempre há quem tenha mais jeito para lidar com números, ou então quem tenha mais tempo disponível para aprender e se organizar. O importante é que, se a rotina financeira se concentrar nas mãos de um dos dois, seja mantido o hábito de se reunir para discutir as questões mais importantes e os imprevistos. Nessas reuniões, o financista do casal deve pontuar o que considera mais relevante no período que passou, para que o outro tenha ciência dos erros e acertos e dos ajustes a fazer.

Por exemplo, alguns dos assuntos que devem ser ressaltados nas discussões orçamentárias são contas que tiveram um comportamento fora do esperado no período anterior, ajustes no orçamento para lidar com o desequilíbrio, possíveis necessidades de empréstimo, eventos sociais futuros que exigirão gastos extras e ajustes na estratégia de investimentos.

Infidelidade financeira

– Roupa nova, querida?

– Não acredito! Homem é tudo igual mesmo! Tenho esta roupa há dois anos e até agora você não tinha reparado nela!

– Ah... É mesmo, agora lembrei... Você está linda!

Papo fictício

Todos desejamos liberdade e independência. Até um certo grau, elas são benéficas para o relacionamento. Porém, quando a liberdade individual coloca em risco planos e compromissos assumidos pelo casal ou ameaça a liberdade do outro, está acontecendo o que podemos chamar de traição ou infidelidade financeira.

Algumas práticas de infidelidade financeira são tão enraizadas na cultura contemporânea que acabam não sendo interpretadas imediatamente como traição ou desrespeito ao compromisso de fidelidade do casal.

Uma das mais comuns dessas práticas acontece quando, para evitar brigas, um dos dois mente ou omite informações financeiras ao parceiro. A mentira é uma péssima alternativa para manter ou salvar uma relação. O.k., brigas e acusações não são desejáveis. Mas, quando a infidelidade se torna hábito, tanto o relacionamento quanto as finanças podem estar ameaçados quando o problema vier à tona.

Um exemplo recorrente é omitir despesas e/ou dívidas que não estavam nos planos, mas aconteceram por descuido de um dos dois. Em geral, compradores compulsivos reconhecem seu erro ao chegar com as compras em casa. Mas, para evitar o conflito, valem-se de desculpas como "ganhei de presente de minha amiga" ou "aproveitei uma liquidação fantástica" ou então "comprei no ano passado, mas só estreei agora".

O problema é igualmente grave quando a pessoa esconde da família dificuldades no trabalho, queda nos rendimentos, ameaças ao emprego e perda de comissões. Planos familiares dependem essencialmente da estabilidade da renda. Se essa estabilidade não existe, os planos devem ser modificados para se ajustarem a possíveis períodos de dificuldade. Nessas horas difíceis nada é mais importante do que ter a família ao lado. Porém, se a família se sentir traída, o problema financeiro se transforma em problema afetivo – o que poderia perfeitamente ser evitado.

– Querido, queria falar sobre nossos planos, podemos?

– Oba! Planos! Claro, vamos fazer isso já!

– Então, estava vendo nossa fatura do cartão de crédito... Pelo visto, você perdeu o controle este mês, não?!

– ...

Papo fictício

Além da mentira, outra prática que deve ser evitada nas conversas sobre dinheiro são as acusações. O dinheiro é um elemento que mexe com as emoções, pois é o meio para satisfazer nossas necessidades e vontades. Como necessidades e vontades são diferentes para cada pessoa, os planos do casal devem levar em consideração diferentes expectativas e dificuldades em domar os impulsos com disciplina.

Questionar o uso do dinheiro é questionar a capacidade de decisão ou de discernimento do outro, aquilo que constitui sua natureza. É cutucar a ferida. Sendo ela certa ou não, certamente há motivos para que uma determinada decisão tenha sido tomada. Mas, quando o que está em xeque é o discernimento da pessoa, a conversa pode esquentar – principalmente se um dos dois for temperamental.

Lembrem-se de que dinheiro era tabu até poucos anos atrás. Estamos aprendendo a tratar de um assunto que tem muito a ver com a intimidade de cada um. O conflito não resolve problemas, apenas elimina situações indesejadas no curto prazo e acumula mágoas no longo prazo.

Um caminho bem mais interessante para domar a falta de disciplina e estancar decisões impulsivas seria definir usos mais interessantes para o dinheiro do que as compras por impulso.

O que é falar sobre dinheiro

– Amor, estou tão feliz por papai topar ficar com as crianças... Hoje à noite teremos um tempinho só para nós!!

– Que bom! Faz tempo que estou querendo esse tempinho para mostrar a planilha que montei para nossos investimentos!

Papo fictício

Não, definitivamente, não! Falar sobre dinheiro não pode ser o mesmo que fazer de nossas vidas um conjunto de controles, planilhas e leituras sobre economia e finanças. Falar sobre dinheiro é estabelecer um jogo aberto, que fortaleça a cumplicidade do casal e, principalmente, estimule a fazer sacrifícios e a se esforçar pelo que vem pela frente.

Acredito que uma das maneiras mais eficientes de abordar o assunto dinheiro sem conflitos é começar pela pergunta: "*Você está feliz?*"

Simples assim. Um bom planejamento financeiro contribui bastante para a felicidade, pois criamos motivadores de felicidade quando temos dinheiro para adquirir conforto e coisas de que gostamos. Ou então quando estamos disponíveis para aproveitar aquela felicidade pura, como acompanhar os primeiros passos de um filho, por exemplo. Para estarmos disponíveis, temos que abdicar da dedicação exagerada ao trabalho, tão comum hoje em dia – o que não deixa de ser uma decisão com risco sobre nossos bolsos. Uma postura mais regrada no trabalho exige ao menos que tenhamos nossa vida financeira em equilíbrio, incluindo uma reserva de emergências caso tenhamos que ir atrás de um trabalho que não nos empobreça.

Começar uma conversa questionando a felicidade de quem amamos praticamente garante que o papo seja mais construtivo daí para a frente, pois permite a reconstrução do que não está bem e demonstra ao companheiro que ele está na base dos planos a discutir.

Apenas a título de sugestão para o casal, veja como tipicamente costumo conduzir com minha esposa, Adriana, nosso "lanche da tarde com dinheiro":

– *Estamos ambos felizes?*

– *O que gostaríamos de fazer para melhorar?*

– Há algum sonho ou desejo que estamos deixando para trás?
– Quanto custa o que desejamos?
– Quando gostaríamos que esse desejo se tornasse realidade?
– Quanto temos que poupar por mês, ou trabalhar a mais, para que nosso(s) objetivo(s) seja(m) alcançado(s) no prazo?
– O prazo e o valor a poupar são viáveis? Se não são, vamos refazer as contas.
– Quais sacrifícios devem ser feitos no dia a dia para que os sonhos se tornem realidade?
– Concretizar os sonhos recompensará os sacrifícios feitos?

Compromisso assumido, colocamos por escrito e penduramos na parede do escritório.

Daí para a frente, a maior parte dos momentos de desânimo no trabalho é dissipada pela inspiração que nosso contrato a dois proporciona. Ou toda oferta de consumo que recebemos é submetida à comparação com nosso desafio.

Não quero iludir os leitores. Sim, há sacrifícios a fazer. Porém os sacrifícios deixam de ser penosos quando temos uma recompensa a perseguir. Em vez do sentimento de frustração pelo corte de gastos, temos a sensação de que estamos colocando mais um tijolinho na construção de nosso sonho maior. Deixar de gastar por impulso passa a ser parte de uma gincana, não de uma rotina limitante.

É importante ressaltar que, mesmo que o casal esteja em uma condição financeira muito confortável, a conversa sobre as finanças é recomendável. O dinheiro pode estar atendendo às nossas expectativas de consumo cotidianas, mas, por falta de planejamento, não é raro que casais com elevado padrão de consumo se vejam infelizes.

Pessoas bem-sucedidas financeiramente têm menos preocupações com o dinheiro e por isso estão menos propensas a discutir. Isso traz o risco de sentimentos negativos, frustrações e diferenças se acumularem, sendo preciso pouco para explodirem quando surgir algum problema. Esse é um dos motivos mais frequentes de divórcio entre casais que, aparentemente, tinham uma vida magnífica.

Lembrem-se, a vida é nossa oportunidade de realizar sonhos. Quanto mais sonhos acalentarmos, mais motivados estaremos, e mais energia teremos para perseguir outros. Na vida a dois é importante identificar e construir os sonhos do casal e também os individuais. Se são muitos sonhos, que sejam feitos muitos sacrifícios – afinal, estamos tratando de um jogo de recompensas.

Por isso a conversa é fundamental, e que seja franca e frequente. Sinceridade e confiança são pré-requisitos para um relacionamento sadio. E, para que essas qualidades estejam presentes, a transparência é fundamental. Do ponto de vista do dinheiro, vocês são mesmo um casal? Veremos no próximo capítulo.

3

O que é meu é nosso

Não há paixão que resista à falta de dinheiro

Apaixonar-se é um processo químico que acontece no cérebro – ou, para os românticos, no coração. A famosa paixão à primeira vista pode acontecer em razão de um olhar, de um perfume, de uma situação inusitada, de uma gentileza ou de qualquer coincidência que provoque uma forte identificação entre duas pessoas. A paixão não dura para sempre, mas pode se transformar em amor, caso o casal se dê essa chance.

Nem todo relacionamento começa com a paixão. Mas, para durar, todo relacionamento deve ter amor, ingrediente fundamental, difícil de explicar, mas que todos aqueles que o experimentaram consideram a coisa mais importante da vida.

No meu modesto conhecimento sobre o assunto, eu interpreto que amor é a vontade de estar para sempre com o outro, de compartilhar com ele todas as experiências vividas e por viver. É nesta definição que o conceito de amor encontra a relação com o dinheiro, tema deste livro.

Quando duas pessoas se conhecem e decidem começar um namoro, estando elas apaixonadas ou não, a tendência é que façam dessa relação um conjunto de experiências criativas. Enquanto um chama o outro para seu restaurante favorito, o outro convida para um show que curte muito. Quem está acostumado a certos destinos turísticos acaba conhecendo lugares diferentes com seu novo companheiro. Quem está acostumado a curtir certo tipo de lazer nos fins de semana aprende a se divertir também de um jeito que o parceiro está acostumado.

Se essas experiências criativas – muitas delas de consumo – dão certo, cresce a vontade de desfrutá-las cada vez mais, até chegar a um ponto em que ambos se convencem de que querem aquilo para o resto de suas vidas.[1] Então...

Recebo-te por meu(minha) esposo(a)
e te prometo ser fiel
na alegria e na tristeza
na saúde e na doença
amando-te e respeitando-te
por todos os dias de minha vida.

TRECHO DA VERSÃO MAIS USADA DO SAGRADO VOTO NUPCIAL

Praticamente toda preparação, expectativa, pompa, fartura e ansiedade do casamento giram em torno desse voto, pronunciado pelo casal quando formaliza, perante sua comunidade, a escolha de viver uma relação sólida.

Os mais espirituais dão uma importância maior à cerimônia e ao voto, enquanto os mais céticos a encaram como mera formalidade e querem mais é ir logo para a festa. Mas, de qualquer forma, o voto nupcial é um compromisso firmado diante das pessoas que são mais importantes para nós. Independente-

---

[1] Levo em consideração aqui relações que aconteceram por vontade e planejamento do casal, não aquelas que simplesmente "aconteceram".

mente dos rumos que o casal dará a suas vidas, a promessa pesa como responsabilidade – não importa se você casou perante um sacerdote de sua religião ou um cara vestido de Elvis Presley em algum exótico ponto turístico.

Enfim, assumiu-se o compromisso de construir um projeto em comum, por toda a vida. Não raro, esse projeto já começa mal, quando o casal esquece que o que uniu os dois foram, em essência, escolhas românticas refletidas em hábitos de consumo. Passam então a priorizar o custeio de casa, carro e plano de saúde e não garantem verba para aquilo que alimenta a paixão: gastos com curtições da vida a dois. É muito raro encontrar casais no início do relacionamento formal que realmente assumem o compromisso de continuar com aquela rotina que, de tão prazerosa, fez despertar a vontade de tê-la para sempre com o outro. Existe a vontade de continuar curtindo a vida com o parceiro, mas o dinheiro para isso já não existe mais, está pagando a conta do custo de vida que o casal assumiu.

Estranho, não? Durante o namoro a verba para a diversão vem em primeiro lugar. Quando o namoro passa a ser para sempre, essa verba só existe quando não surge nenhum tipo de imprevisto. No mínimo, é incoerente.

A paixão não é para sempre, mas, com dinheiro e criatividade, podemos alimentá-la todos os dias, criando elementos de consumo inspiradores que demonstrem o cuidado com o relacionamento. Pode ser um presente, um jantar fora, um prato preparado em casa, flores, óleo para massagem, um passeio... Não importa o que seja. É preciso alimentar o que é verdadeiramente importante para o casal. Senão surge a rotina. Já expliquei, em outros trabalhos, que rotina nada mais é do que falta de verba. E, se o casal precisa se planejar para fortalecer a união, que essa união seja plena. Inclusive em relação ao dinheiro.

Sinais de problemas

Antes de formar um casal, cada indivíduo tem um projeto próprio de vida. Quando a hipótese de viver a dois surge, uma das principais ponderações que se faz é: *será que, ao assumir a responsabilidade de corresponder ao amor de outra pessoa, terei problemas em manter meus planos de crescimento pessoal?*

Há casos em que o começo de uma relação sólida garante uma condição de prosperidade que não existia quando a pessoa era só. Mas o contrário também acontece. Os cuidados demandados por uma relação, pelo custo de vida, pelos filhos e uma menor margem para erro fazem muitas pessoas adotarem uma postura mais cautelosa, que limita as opções de assumir riscos e crescer na vida.

Diante dessas reflexões, é possível enumerar alguns tradicionais erros cometidos na relação entre o dinheiro e o casamento. Reflitam se algum desses problemas não acomete a relação de vocês:

- Ao menos um dos dois não tem ideia de quanto o outro ganha.
- Ao menos um dos dois não tem ideia de quanto é o patrimônio do casal, ou o patrimônio de cada um.
- O casal divide as contas e cada um cuida como bem entender do restante do dinheiro.
- As conversas sobre dinheiro limitam-se a buscar soluções para problemas.
- As conversas sobre dinheiro limitam-se às escolhas para as próximas semanas ou meses.
- Um dos dois cuida sozinho das finanças da família, sem nenhuma participação do outro.
- Existe liberdade para que cada um gaste o dinheiro como quiser, mas ao menos um dos dois desconfia que essa liberdade tenha se transformado em infidelidade.

Dependendo de como está o relacionamento ou de como o casal lida com as diferenças, nem todos os problemas listados anteriormente pode ser considerados graves. Porém, passam a ter essa condição quando um ou mais dos seguintes sintomas fazem parte da rotina dos dois:

- Um dos dois, ou ambos, sente que conseguia ter mais qualidade de vida quando vivia só.
- Um dos dois, ou ambos, sente que está perdendo oportunidades na carreira porque não consegue se dedicar ao trabalho como gostaria, ou como faria se vivesse só.
- Um dos dois, ou ambos, sente-se inseguro quanto a sua possível situação econômico-financeira caso o relacionamento não dê certo e tenham que se separar.
- Um dos dois certamente ficaria em uma situação financeira bastante inferior à que mantém hoje caso o relacionamento não dê certo e tenham que se separar.
- Um dos dois, ou ambos, sente-se inseguro em relação a sua capacidade de viver dignamente e com segurança no futuro.
- O casal gostaria de ter filhos, mas abandonou a decisão em razão de problemas financeiros.
- Um dos dois, ou ambos, gostaria de começar um negócio próprio, mas está adiando a decisão por não contarem com uma reserva financeira que permita administrar um eventual fracasso dessa escolha.

Esses são sinais evidentes de problemas, pois, uma vez que a vida a dois permite o uso de dois cérebros para buscar as mais diversas soluções, seria esperado que um casamento trouxesse maior tranquilidade e segurança para ambos. Mas, na prática, isso não acontece, e o motivo é simples: a maioria dos casamentos se traduz em união de moradia, de famílias, de sonhos, mas não do dinheiro. Pode-se dizer que nossa sociedade aceita a infidelidade financeira como normal.

Em março de 2012, a Cerbasi & Associados realizou uma pesquisa com 853 internautas brasileiros com interesse em finanças pessoais e descobriu que 41% das pessoas gastam algum recurso sem conhecimento do companheiro e 67% consideram normal realizar um gasto de alto valor sem comunicar ao parceiro. Segundo a mesma pesquisa, 30% das pessoas conversariam sobre infidelidade financeira com um amigo, mas não com seu parceiro. Os tipos de gastos mais omitidos são:

Ainda de acordo com a pesquisa, os argumentos mais comuns para a infidelidade financeira são:

- 81% das pessoas querem evitar discussões.
- 18% dizem que estão pagando dívidas e acham que seu companheiro não precisa saber.
- 1% teme que esse assunto possa levar ao fim do relacionamento.

Percebam a gravidade dessa constatação. No desejo de não gerar discussões, 81% das pessoas não conversam sobre o assunto. Vão jogando o problema para debaixo do tapete, sem perceber que é muito provável que, um dia, um dos dois venha a tropeçar nesse tapete. Quando tudo o que está lá embaixo vier à tona, a discussão será inevitável, mais intensa e, provavelmente, mais pessoal. Seria completamente diferente se essa conversa tivesse ocorrido no momento da decisão de compra, seja para justificar um deslize ou para iniciar uma importante reflexão sobre necessidades individuais. É muito mais comum observar famílias em que o dinheiro é disputado pelo casal do que aquelas em que a riqueza é construída orgulhosamente como uma obra dos dois. Reitero: dos dois, e não apenas de um que assume esse papel para si! Precisamos rever isso, para o bem da sociedade e dos relacionamentos.

A contribuição de cada um

No tempo da vovó, as mulheres tinham o simples papel de cuidar da casa e mantê-la abastecida, usando o dinheiro ganho pelo marido para comprar tudo o que era necessário e prestando contas a ele. A partir do momento em que conquistaram seu espaço próprio e igualitário no mercado de trabalho, as mulheres levaram de bônus mais duas conquistas: maior liberdade e mais independência. A princípio, não precisam mais prestar contas de como gastam seu próprio dinheiro.

Porém, essa que parece ser a grande conquista das mulheres é, na verdade, o segundo principal motivo de destruição dos relacionamentos atuais. Com menos tempo para dedicar à família, os casais de hoje acreditam que é melhor cada um cuidar de seus recursos e decidir como e onde fazer sua própria poupança. "Cada um por si" acabou se tornando o mote da vida financeira do casal moderno.

É aí que começam os problemas e divergências. Sem uma conversa franca sobre dinheiro, cada um passa a perseguir seus objetivos sem compartilhá-los com o companheiro. Muitas vezes um começa a atrapalhar os planos do outro sem perceber, pois o tempo para planejar suas conquistas concorre com o tempo a dedicar ao relacionamento.

Além disso, sempre haverá um com renda superior à do outro. Independentemente de como os gastos da família são divididos, sempre haverá aquele com mais chance de poupar, com maior capacidade de consumo ou com mais disposição para incrementar os gastos com as férias. Com o tempo, um terá investimentos e status em um nível bem superior ao do companheiro: um rico e um pobre convivendo sob o mesmo teto. Um com uma vida repleta de realizações, o outro apenas acompanhando as realizações do companheiro. As diferenças resultam em frustração e no consequente esfriamento do relacionamento.

É por esse motivo que, nas orientações sobre as dúvidas de meus leitores, enfatizei tanto a importância de unir as contas e o planejamento. Duas cabeças pensam melhor do que uma. Duas contas-correntes pagam mais tarifas do que uma. Um relacionamento bancário forte acessa alternativas de crédito e de investimento melhores do que aquelas disponíveis para dois relacionamentos fracos. E a estratégia de fazerem juntos a declaração de imposto de renda permite maiores restituições – mesmo que, dependendo da situação, a melhor opção seja fazer declarações separadas.

Não importa quanto cada um ganha, ou se apenas um tem renda e o outro cuida do lar. Se um casal decidiu construir uma vida a dois, haverá um sem-número de decisões financeiras a serem tomadas, por isso é importante que haja sintonia entre os parceiros nessa área. Caso contrário, haverá muitas frustrações para corroer o bom relacionamento do começo da vida de casados.

A sintonia é obtida quando as regras, ou as soluções na ausência delas, são criadas pensando-se que cada escolha tem que ser boa para ambos agora e, principalmente, no longo prazo – independentemente de o relacionamento ser eterno ou não.

A seguir, apresento situações extraídas de contatos que meus leitores fizeram por e-mail, pelo Twitter ou pelo canal de dúvidas do site maisdinheiro.com.br,[2] além de reflexões sobre cada uma delas.

- *Um dos dois nunca soube quanto o parceiro ganha, nem quanto ele tem, o que cria uma sensação de insegurança em relação ao futuro pessoal e da relação.*

Em primeiro lugar, quem se sente privado de informações deve se perguntar o porquê de o parceiro adotar essa típica postura de defesa. Algumas hipóteses são: a sensação de que a família não saberá lidar com um grande patrimônio da mesma forma que ele, tendências consumistas de um dos dois (para evitar gastos excessivos do outro ou para esconder seus próprios pecados), temor quanto à solidez do relacionamento e ao risco de uma possível separação, esforço para preservar um estilo de vida mais simples e saudável (com menor risco de queda no consumo) ou simplesmente a tradição paternalista de assumir para si o papel de prover e garantir o sustento da família quando quem omite seus rendimentos é o homem. A primeira e a última das hipóteses citadas (pode haver outras) são as mais comuns. Situações como o temor do fim do relacionamento ou até mesmo a preservação de uma relação extraconjugal não são problemas financeiros, mas também decorrem de falhas de comunicação entre o casal. O diálogo fortalece uma relação honesta ou evita que uma situação insustentável se prolongue desnecessariamente. Mas, tirando

[2] http://www.maisdinheiro.com.br/duvidas/

as questões sentimentais e limitando minhas reflexões às finanças do casal, acredito que a falta de transparência é sempre motivada pela parte frágil, ou seja, por quem é privado da informação. Nesse caso, falta demonstrar seu interesse e preocupação, talvez até se oferecer para ajudar na organização das finanças da família. O ideal seria começar a conversar sobre sonhos, demonstrar competência para administrar pequenos projetos e, aos poucos, estimular realizações cada vez maiores e mais audaciosas. Inevitavelmente, ao criar planos mais complexos, o casal terá que falar de obstáculos e limites, entrando mais fundo nas finanças da família.

- *O homem provê o que a família precisa para estar bem. Se a mulher tiver renda, a regra é que ela a use como bem entender, para comprar as coisas dela.*

Essa postura machista e paternalista está ultrapassada. A sociedade optou por induzir homens e mulheres a trabalhar porque o resultado dessa escolha são lares com mais conforto e possibilidades de educação e cultura. Limitar o padrão de consumo e conforto à renda de um dos dois significa assumir um padrão de vida inferior ao que poderiam ter. Banalizar a capacidade de escolha e planejamento da mulher, relegando sua renda apenas à categoria de "gastos femininos", é menosprezar o potencial de realização de sonhos da família. Além disso, com um dos dois sobrecarregado na função de prover e administrar a família, haverá bem menos espaço para planejar a quebra da rotina e para perseguir objetivos que exijam maior sacrifício. Minha sugestão ao homem dessa família é que convide a companheira a participar mais de escolhas complexas, como investimentos e grandes itens de consumo. À mulher, sugiro que use a criatividade para se manter feminina e passe a reservar parte de sua renda para, de maneira planejada, realizar ações mais relevantes para a família, como férias surpresa ou um presente inesperado para o companheiro. Em um segundo momento, deve partir dela a proposta de envolver-se mais nas decisões financeiras do casal.

- *Ambos trabalham, mas um dos dois ganha bem mais que o outro. É comum que, nessa situação, o casal decida que o custo de vida deve se enquadrar no salário maior, enquanto o salário menor garante as férias e o lazer de todos.*

Apesar da aparente coerência de dar maior importância aos gastos fixos e uma importância secundária ao lazer, há uma grave falha nesse modelo de planejamento: se quem tem o maior salário perder o emprego, o padrão de vida da família se tornará insustentável. O modelo ideal é aquele em que o menor salário da família garante os gastos mensais recorrentes no orçamento, enquanto o salário maior custeia lazer, formação de poupança e todo tipo de consumo que pode ser pago à vista. Quando a diferença de renda é grande a ponto de inviabilizar o custeio mínimo da estrutura da família, recomenda-se adotar uma estrutura de gastos fixa, porém flexível. Por exemplo, em vez de optarem por um financiamento de longo prazo, melhor seria morar em imóvel alugado, permitindo reduzir rapidamente o padrão de vida caso a renda seja comprometida. Essa recomendação é válida enquanto a família não conseguir formar uma sólida reserva para emergências, que permitiria preservar o padrão de vida por vários meses até o restabelecimento da renda.

- *Um dos dois ganha bem mais que o parceiro e mesmo assim o casal insiste em encontrar uma maneira de dividir as contas da família.*

Casamento é união, e não divisão. Se o casal optou por uma relação estável e quer que ela seja eterna, qual o motivo de dividir contas? A postura correta a adotar é ignorar quem ganha mais ou menos, batalhar juntos para que a renda total do casal cresça, somar as rendas para definir um orçamento e decidir o estilo de vida e os custos fixos a dois. A análise da diferença de renda deve servir apenas para evitar excessos de gastos fixos, como expliquei no item anterior. E, se o casal teme pela estabilidade do relacionamento, não é a divisão de custos que vai garantir as finanças de cada um. Em caso de divórcio, é o regime de casamento pelo qual optaram que decidirá quanto cada um deve levar do antigo relacionamento, independentemente da contribuição de cada um no orçamento mensal. E percebam que mais cedo ou mais tarde as finanças terão que ser unidas. Não é melhor que seja bem antes da morte de um dos dois?

- *Um dos dois sente que se esforça para construir os sonhos do casal, mas não sente a mesma dedicação por parte do parceiro. Há casos em que isso é interpretado como acomodação, criando a sensação de que muitos dos sonhos do casal não acontecerão por incompetência do outro.*

Será que falta motivação para perseguir os sonhos do casal ou o problema é que os sonhos do casal não são motivadores para um dos parceiros? Há uma sutil diferença entre as alternativas, mas é bastante comum que, para viabilizar sonhos básicos como moradia, aposentadoria e filhos, alguém se veja obrigado a desistir de desejos que antes faziam seus olhos brilharem. Nossa energia vital vem da vontade de construir e conquistar. Aqui certamente é o caso de começar aquela conversa sobre felicidade. O ideal é abrir o leque de sonhos a conquistar, incluindo sonhos individuais no pacote de planos do casal. Se o dinheiro não dá, é porque o casal está exagerando nos sonhos básicos e se esquecendo de garantir espaço para os que realmente fazem diferença.

- *Um dos dois tem a sensação de que somente o parceiro tem realizado seus sonhos pessoais e profissionais. Essa é uma situação bastante comum entre as mulheres; é como se elas vivessem apenas para incentivar as conquistas do marido, cultivando um sentimento de frustração.*

Enquanto na situação anterior faltava motivação, o que falta aqui é comunicação. Mesmo que o casal converse sobre dinheiro, a pessoa frustrada não está conseguindo colocar em pauta seus sonhos pessoais. Sugiro que deixem de encarar o trabalho como o grande objetivo. Deixem de dar importância excessiva à construção da carreira. O objetivo é construir uma vida de realizações, e o trabalho é apenas o meio para isso. Em casos como esse, na hora de conversar sobre felicidade, é preciso dividir o tempo da conversa entre 1) meus sonhos, 2) seus sonhos e 3) nossos sonhos.

- *Um dos dois crê que não leva jeito para lidar com números, por isso confia todo o planejamento financeiro ao parceiro.*

Seria uma atitude sensata, não fosse por um detalhe: a palavra "todo". É comum que, entre duas pessoas, uma se sinta mais apta a conduzir o controle e os planos relacionados ao dinheiro. Isso tranquiliza e, de certa forma, tende a acomodar o companheiro, que se sente dispensado dessa responsabilidade. Porém, por mais benfeito que seja o controle, há o risco de informações serem perdidas ou até de parte do patrimônio não ser localizada caso algo grave venha a acontecer com o financista da família. Além disso, quando há planos e regras a seguir, o ideal é que todos os envolvidos tenham ciência e acompanhem sua evolução, para que participem desse processo e se motivem com ele. Por isso não há nada de errado em confiar o planejamento ao parceiro, desde que vocês conversem para revisar e acompanhar seus objetivos de tempos em tempos.

- *Um dos dois realiza gastos com cuidados pessoais ou com hábitos que o parceiro não admira ou não aceita, por isso evita ter total transparência nas finanças.*

Planejar conjuntamente não significa abrir mão da liberdade e da independência. Se o casal consegue unir rendas, decisões de consumo e planos, é perfeitamente viável estipular (também a dois) um certo valor que, dividido meio a meio, servirá para cada um gastar como bem entender. Não precisa ser um grande valor, mas é saudável que seja dividido igualmente, independentemente da contribuição de cada um para a renda da família. Essa "mesada" garantirá a igualdade, a liberdade de escolha e a privacidade necessárias para cultivar caprichos pessoais, cuidados estéticos, manias, hobbies e pequenos vícios.

- *O casal vem de famílias com condições econômicas totalmente diferentes e costuma ouvir insinuações desagradáveis de que o mais "pobre" deu o golpe do baú.*

Tenho a convicção de que o modelo de casamento do tipo "A dama e o vagabundo" ainda pode render muitos finais felizes nos dias de hoje. Sim, casais que cresceram em situações econômicas diferentes têm tudo para dar certo, desde que aceitem uma condição: a de que, após casados, as diferenças sejam eliminadas e ambos passem a ter um padrão de vida único. A renda da família deve ser igual à soma da renda do casal, não importando se um parceiro ganha mais que o outro. Ao tratar a renda como uma só, os gastos como um bolo só – sendo as individualidades custeadas com a divisão, meio a meio, de uma verba discutida pelo casal –, as diferenças econômicas e sociais desaparecem. Os dois passam a ter o mesmo padrão de vida. Lembrem-se: é o regime de casamento, decidido antes da união, que protege a relação contra o chamado golpe do baú. Pode ser difícil para algumas famílias, mas é a forma de assegurar que o casamento não acabe por causa da desigualdade econômica, como aconteceria nas situações em que cada um corre atrás de seus próprios resultados. Não é fácil tirar a diferença quando começamos muito atrás na competição.

- *O casal está diante de um impasse sobre quem deve assumir o papel de controlador das finanças da casa.*

Existem estudos que comprovam que, nas finanças, as mulheres geralmente adotam uma postura mais conservadora e previsível, enquanto o homem sente-se tranquilo para assumir riscos maiores. Essa diferença pode interferir na composição da carteira de investimentos que cada um formaria, mas não necessariamente conduziria a resultados melhores para ele ou para ela. O que constatei na prática, ao acompanhar meus clientes em consultorias familiares, foi que as finanças tendem a se manter mais organizadas quando administradas por quem toma decisões financeiras com mais frequência. Tradicionalmente, a mulher é responsável pelos pequenos gastos do lar, o que a expõe ao consumo quase que todos os dias. Se não estiver com as rédeas das finanças em suas mãos, terá dezenas de oportunidades de perder o controle a cada semana. Por isso recomendo que a mulher procure assumir o papel de gerente financeiro do lar. Nas famílias que acompanhei, isso garantiu praticamente 100% de certeza de que as contas fechassem o mês equilibradas.

- *As contas entram frequentemente no vermelho porque o principal provedor tem um emprego que proporciona ganhos instáveis, ou seja, em alguns meses ganha bem menos do que em outros, ao mesmo tempo que não consegue controlar o consumo da família.*

Há dois problemas aqui: a falta de transparência da realidade e a ilusão de contar com ganhos imprevisíveis para manter um padrão de consumo já estabelecido. Recomenda-se, neste caso, que a família se reúna para rediscutir seu estilo de vida e reduzir os gastos fixos para o nível em que a renda é assegurada. Nos meses de pico da renda, pode ocorrer a compensação dessa redução nos custos, pois é quando escolhas de consumo não rotineiras podem ser adotadas, desde que pagas à vista. Por exemplo, o pagamento antecipado de vários meses de academia ou curso de inglês, ou o pagamento à vista de uma viagem de férias. Outra opção para manter um estilo de vida mais elevado é poupar nos meses de alta para compensar nos meses de queda. Porém, essa opção requer um planejamento mais detalhado e cuidadoso, sem expectativas irreais em relação aos recursos que serão acumulados.

- *Eles começaram com planos em comum ao casar, mas alguns tropeços na carreira fizeram com que a renda não crescesse como esperavam, por isso sentem-se frustrados.*

Viver para pagar contas não apenas gera frustração como também afeta e ameaça o relacionamento. O casal errou e continua errando. Se o custo de vida inviabilizou planos de longo prazo, é porque o casal deu importância de mais à rotina e de menos aos sonhos. Que tal mudar para um imóvel menor, trocar o carro por outro mais simples, ou mesmo vender algum eletrodoméstico que esteja sendo pouco usado? Ao dar um passo atrás e desfazer escolhas do passado que estão pesando no bolso, o casal se dá a oportunidade de um recomeço. Se isso for feito com o mínimo de planejamento que mostre ser possível alcançar um nível de realização pessoal maior, certamente o casal se sentirá mais motivado. E, sendo um recomeço, minha sugestão é que o casal celebre o momento e saia em uma segunda lua de mel assim que uma grande decisão for tomada – por exemplo, a mudança para uma moradia menor. Obviamente, cuidando para que essa lua de mel não passe a ser motivo de desequilíbrio financeiro na volta.

- *Ao se conhecerem, um dos dois, ou ambos, já tinha filhos de outro relacionamento que não deu certo.*

Um filho é parte de quem o gerou e, por isso, não pode ser excluído das decisões do casal em um planejamento familiar. Educar ou garantir a pensão desse filho é uma daquelas prioridades individuais que devem caber nos planos conjuntos do casal. Para que seja justa com o novo parceiro, uma divisão equilibrada seria feita da seguinte forma:

- da renda conjunta do novo casal, seria separado o valor relativo à pensão e aos cuidados com o filho;
- como um filho é uma despesa pessoal, o mesmo valor acima seria separado para gastos pessoais do padrasto ou da madrasta;
- do valor restante, o casal decidiria como estruturar seu custo de vida, seus investimentos e seu lazer, tentando viabilizar mais recursos para, divididos meio a meio, garantir uma mesada para gastos pessoais.

Dependendo do valor da pensão, pode até ser que o valor para gastos pessoais do parceiro sem filhos fique elevado. Se for o caso e ele reconhecer isso, por que não sair daí a verba para o lazer do casal? Por exemplo, digamos que um pai pague 30% de sua renda aos filhos de um casamento anterior e que ele seja o único provedor do novo relacionamento. O uso de outros 30% seria definido primordialmente pela parceira, e apenas os 40% restantes seriam destinados ao custeio comum do casal. Em outras palavras, o ideal é o casal buscar um estilo de vida que se pague com 40% de sua renda e que os outros 30% sejam destinados a cuidados pessoais e lazer do casal, de forma que o novo relacionamento tenha, ao menos, um padrão equivalente ao que ficou para o relacionamento anterior.

Percebam que, em todas as reflexões acima, a orientação foi no sentido de buscar a igualdade de condições. Como casal, vocês devem perseguir e construir um estilo de vida único e o mesmo nível de riqueza para ambos. O importante não é a união física das contas, mas sim a união de objetivos e planos para alcançá-los. Dediquei o capítulo seguinte a explicar isso.

4

Até que ponto se deve unir totalmente as finanças?

A melhor estratégia é a que mais enriquecerá o casal

Dizia Nelson Rodrigues que toda unanimidade é burra. Desde que sugeri, em *Casais inteligentes enriquecem juntos*, que o modelo ideal para as finanças dos casais era o da união total das contas, recebi centenas de e-mails contestando minha opinião. Mas, após oito anos comentando, analisando, digerindo e aplicando tal sugestão, posso assegurar que o modelo mais eficiente para as finanças dos casais é mesmo o da união total de contas. Nada de mudanças na minha teoria.

Os argumentos são simples. No capítulo anterior, já citei algumas vantagens, como ter duas mentes pensando juntas, relacionamento bancário mais forte e acesso a melhores soluções. Mas, além disso, existe também um nítido ganho não financeiro.

A intimidade necessária para buscar o consenso nas escolhas de consumo e nos planos para o futuro tende a aumentar a cumplicidade, criar maior sintonia entre o casal e desenvolver maior afinidade para escolhas em outras áreas. Praticamente todo casal que conheço que lida bem com as finanças também possui sintonia em decisões como roteiros de viagem, tipo de restaurante a frequentar, modelo de carro a comprar, padrão de moradia e preferências culturais.

Não acredito que a causa dessa harmonia seja necessariamente a intimidade financeira. Talvez aqueles que já tenham ideias parecidas em diversas áreas tenham encontrado maior facilidade ao conversar sobre dinheiro. Porém, tenho incontáveis depoimentos de casais cujo relacionamento não vinha bem, mas, ao se esforçarem para organizar as finanças, acabaram descobrindo melhor um ao outro. Se seu relacionamento não anda 100%, vale tentar.

Por outro lado, esses anos de experiência também me apresentaram situações em que a união total de escolhas, contas, planos e investimentos não funcionou tão bem, pois não se traduziu em verdadeira união financeira ou abriu espaço para que alguém sem controle financeiro induzisse o parceiro a se descontrolar também. Quero discutir esses casos mais a fundo.

Tem que unir mesmo?

Digamos que o casal já tenha longa experiência em contas separadas e, mesmo assim, tenha afinidade nas questões relativas ao dinheiro. Pode ser que, por exigência das empresas em que trabalham, cada um receba em um banco diferente e esteja acostumado a lidar com isso. Também é possível que tenham experimentado uma conta conjunta e, após muitos problemas e desentendimentos, preferiram separar suas contas e estão felizes.

Independentemente dos motivos que levam um casal a manter contas separadas, é importante fazer uma ressalva fundamental para que essa estratégia funcione: o planejamento financeiro do casal deve ser feito sempre a dois.

A separação financeira pode ter sentido prático quando essa estratégia torna mais funcional e segura a rotina de pagamentos e controle das despesas. Se ambos chegam ao consenso de que, para preservar o equilíbrio das finanças, as contas devem ser separadas, está combinado. Separadas, porém com transparência. É preciso discutir os recursos que vão para cada conta, e de qual delas sai o pagamento de cada compromisso. Dessa forma, até aquele que é mais compulsivo no casal pode ter seus impulsos domados. Basta determinar que esse parceiro fique apenas com o cartão de saque da conta que terá a verba limitada à mesada pessoal.

Vejam um exemplo de finanças bem resolvidas que me foi enviado por um casal que optou por manter contas separadas:

		Data Pagto.
Receita DELE (já com os descontos)	R$ 2.200	Dia 5
Receita DELA (já com os descontos)	R$ 1.200	Dia 15
Receita TOTAL	**R$ 3.400**	

Destino do dinheiro	Valor	Vencimento
Previdência privada	R$ 200	–
Poupança para as férias	R$ 200	–
Escola do filho	R$ 400	Dia 1
Aluguel	R$ 800	Dia 6
Prestação do carro	R$ 700	Dia 18
Supermercado	R$ 400	–
Combustível	R$ 200	–
Água + Luz + Gás	R$ 200	Dia 10
Telefone	R$ 200	Dia 10
Plano de saúde	Pago pelo empregador dela	
Extras de pequeno valor	R$ 100	–
TOTAL	**R$ 3.400**	

Para diminuir o risco de falta de recursos para pagar as contas, eles optaram por pagar os compromissos seguindo duas regras: ela assume gastos cujos vencimentos estão mais próximos de sua data de recebimento e se encarrega de sacar o dinheiro dos extras uma vez ao mês; ele assume os demais valores.

Da conta DELE saem	Valor	Data
Previdência privada	R$ 200	5
Poupança para as férias	R$ 200	5
Aluguel	R$ 800	6
Supermercado	R$ 400	10
Combustível	R$ 200	6
Água + Luz + Gás	R$ 200	10
Telefone	R$ 200	10
TOTAL	**R$ 2.200**	

Da conta DELA saem	Valor	Data
Prestação do carro	R$ 700	18
Escola do filho	R$ 400	1
Extras de pequeno valor	R$ 100	15
TOTAL	**R$ 1.200**	

Percebam que o total de gastos realmente fixos (aluguel, supermercado, combustível, contas, carro e escola) é de R$ 2.900, bem acima do que ela poderia garantir caso ele perca o emprego. Porém, tanto o valor do aluguel quanto o do financiamento do automóvel são considerados elevados e podem ser reduzidos caso a realidade da família venha a mudar drasticamente. Como a poupança é um hábito, a reserva que eles fazem para as férias já é um colchão de segurança para fases ruins.

O exemplo acima mostra nitidamente que, apesar de terem contas separadas, sua estratégia de consumo e poupança é uma só.

Família, família, negócios à parte?

Um argumento frequente para a falta de transparência e a separação das contas do casal é quando um dos dois, ou ambos, possui um negócio próprio e mistura, indevidamente, os recursos da empresa com os de sua pessoa física.

Nesse caso, a união de contas da família seria um risco para os negócios. Afinal, será que o companheiro entenderia que o valor vultoso que circula pela conta não é para ser gasto com o conforto da família, mas sim para garantir o bom funcionamento da empresa? Existem negócios que, por terem margens de preços baixas devido à competição do mercado, não geram muito lucro, mesmo quando proporcionam faturamentos milionários. Todos os dias dezenas de empresas fecham as portas porque seus sócios não entendem a diferença entre faturamento e resultado.

> *Há alguns anos, um cirurgião dentista me disse estar insatisfeito e preocupado com sua condição financeira. Segundo ele, sua receita era boa, na casa de R$ 40 mil mensais, mas as contas jamais fechavam. Ele dizia não exagerar nos gastos. Tinha um padrão de vida como o de colegas advogados, administradores e médicos que ganhavam o mesmo que ele. Um carro de R$ 150 mil e uma casa de R$ 500 mil, ainda não quitados, eram seu principal patrimônio.*

Não foi preciso dizer mais nada. Assim que ele descreveu o patrimônio, detectei o problema. Fazendo contas rápidas, estimei o gasto mensal com o patrimônio da seguinte forma:

- Se o carro foi comprado sem entrada e parcelado em 36 meses, com juros de 2% ao mês, o custo mensal era de aproximadamente R$ 5.800.
- Se a casa foi financiada sem entrada e parcelada em 10 anos, com juros de 1% ao mês, o custo mensal era de aproximadamente R$ 10.800.

Não importa aqui se ele deu algum valor de entrada para diminuir o valor das parcelas. Se antes ele poupou para acumular esse valor e então deixou de poupar, o cálculo acima apenas estima quanto ele está consumindo com a escolha feita, pois também está deixando de obter renda com investimentos.

O padrão de vida desse dentista já começa em R$ 16.600 de gastos fixos, sem contar todo o resto. Parece normal para uma renda de R$ 40 mil, não? Porém, o que ele não percebia até então é que estava confundindo o faturamento de seu consultório com sua renda pessoal.

Conversando um pouco com esse dentista, identificamos que, só entre impostos, secretária assistente, manutenção de equipamentos, insumos para tratamentos e gastos do consultório, ele gastava cerca de R$ 15 mil por mês. Isto é, desde que ele estivesse estimando corretamente o custo de seu negócio. Sem contar imprevistos e extras, sobravam para ele R$ 25 mil. Desses, só o carro e a moradia consumiam R$ 16.600, ou seja, mais de 66% da renda – o que é um absurdo.

Veja alguns erros do dentista e de muitos profissionais que misturam as finanças dos negócios com suas finanças pessoais:

- não ter uma noção precisa do custo mensal do negócio;
- não formar uma provisão para investir no crescimento do negócio (tecnologia, cursos, renovação de equipamentos e ambiente);
- não ter uma noção precisa de sua renda pessoal;
- assumir um padrão de vida incompatível com a verdadeira renda pessoal.

O problema, portanto, não é misturar ou não a renda do dono do negócio com a do companheiro. O verdadeiro problema está em não saber exatamente qual é a sua parte no orçamento familiar.

Lidar com isso não é complicado. Requer do casal alguns pequenos ajustes em sua organização pessoal, para que fique claro para ambos de quanto dispõem para fazer suas escolhas.

A estrutura dos controles financeiros deve ser dividida em quatro partes:

Para cada uma dessas partes, há uma organização própria a fazer. O ideal, para quem faz seus controles em planilhas, é que seja criada uma planilha para cada controle, para que não se corra o risco de misturar informações. Até o resultado a retirar, o ideal – na verdade, a norma – é que todos os recursos circulem na conta da empresa. Só depois de identificado esse valor é que o dinheiro deve ser enviado para a conta da pessoa física, caracterizado como distribuição de lucros.

Veja um exemplo de estrutura para os planos – as planilhas 1 e 3 da ilustração acima:

Investimentos a fazer	Prazo (meses)	Valor	Valor mensal a reservar
Atualização de equipamento	24	R$ 15 mil	R$ 594,35
Reforma do consultório	48	R$ 20 mil	R$ 377,27
Participação no congresso	12	R$ 4 mil	R$ 324,76
Presente Dia da Secretária	10	R$ 1 mil	R$ 97,82
Anuidade da entidade de classe	12	R$ 1 mil	R$ 81,19
Total a poupar por mês			**R$ 1.475,40**

Caso você não saiba como fazer cálculos usando ferramentas de matemática financeira, pode solicitar ajuda a alguém que saiba ou se basear na seguinte tabela:

Prazo de Poupança (em meses) para acumular R$ 1 mil

<table>
<tr><td rowspan="4">ESTRATÉGIA Conservadora
(100% em Renda fixa)
Rentabilidade estimada ao mês*
0,4%</td><td>6</td><td>12</td><td>18</td><td>24</td></tr>
<tr><td>R$ 164,35</td><td>R$ 81,19</td><td>R$ 53,48</td><td>R$ 39,62</td></tr>
<tr><td>30</td><td>36</td><td>42</td><td>48</td></tr>
<tr><td>R$ 31,31</td><td>R$ 25,78</td><td>R$ 21,83</td><td>R$ 18,86</td></tr>
</table>

* Depois de descontar o Imposto de Renda e a inflação.

A tabela mostra quanto reservar por mês e durante quanto tempo, para acumular um saldo de R$ 1 mil para investir ou realizar um sonho. Os cálculos supõem rendimento de 0,4% ao mês, que é o ganho líquido (já descontados o Imposto de Renda e a inflação) que pode ser obtido em diversas modalidades de renda fixa, como Títulos Públicos[1] e Fundos de Renda Fixa. Por exemplo, se a meta é acumular R$ 1 mil em 18 meses, devem ser poupados R$ 53,48 mensais para alcançar tal objetivo. Se a meta for poupar 10 vezes mais, ou seja, R$ 10 mil, o valor a poupar deve ser de R$ 534,80.

[1] Exclusivos para pessoas físicas.

Veja um exemplo de estrutura para a organização das finanças dos negócios, que é a planilha 2 da ilustração apresentada:

Faturamento do negócio	
(-) Impostos sobre vendas	
(-) Custo das vendas	
= Lucro da operação	
(-) Despesas de administração	
(-) Despesas comerciais	
(-) Financiamentos	
(-) Impostos sobre lucros	
= Lucro do negócio (-) Recursos a Poupar	
= Retirada de Lucros	

Finalmente, para a planilha das finanças da família,[2] vale o tradicional padrão do orçamento doméstico:

Receitas	
Resultado a retirar do negócio	
(+) Receita do companheiro	
= Renda da família	
(-) Despesas com alimentação	
(-) Despesas com moradia	
(-) Despesas com transporte	
(-) Despesas com educação	
(-) Despesas com saúde	
(-) Despesas com lazer	
= Sobras para investir	
(-) Previdência	
(-) Poupança para sonhos	
= Verba para sair da rotina	

[2] Faça o download gratuito de uma planilha detalhada de orçamento doméstico clicando no link "Orçamento Familiar Mensal" no site http://www.maisdinheiro.com.br/simuladores

Uma vez que o casal consiga lidar conscientemente com os recursos das três entidades – ele, ela e o negócio –, daí para a frente a cumplicidade pode até contribuir para melhorias na empresa. Quem sabe não evolua para um verdadeiro negócio de família?

Família S.A.

Mas, calma lá, nem tudo são flores na vida da família que é dona de um negócio. Quando casais decidem tocar uma empresa juntos, as chances de ocorrerem dificuldades são grandes. Ao trabalhar lado a lado, o casal passa a compartilhar mais problemas além daqueles que fazem parte da rotina doméstica. Se os parceiros não tiverem uma relação bastante transparente em relação às finanças pessoais e dos negócios, as divergências podem começar a afetar tanto a empresa quanto o relacionamento.

O conflito começa na dificuldade de separar os assuntos de família dos assuntos de trabalho. É quando, por exemplo, surgem conversas sobre problemas com fornecedores em um almoço de domingo ou quando a desculpa para não participar de uma reunião é o desentendimento ocorrido numa viagem no fim de semana.

Felizmente, a administração conjunta de uma empresa não é apenas um mar de problemas. Tudo depende da relação que o casal tem com o dinheiro. Se houver entendimento nas finanças, é mais fácil administrar o negócio quando você tem a seu lado mais uma cabeça voltada para os mesmos objetivos, os mesmos valores, os mesmos princípios e a mesma paixão. Por outro lado, se o casal ainda carregar o tabu social de não falar abertamente sobre questões financeiras e objetivos de vida, a gestão a dois só dificulta o andamento dos negócios.

É quando não se chega a um consenso sobre a retirada de lucros, sobre as estratégias de uso dos recursos da empresa, sobre as estratégias de negócios e também sobre quem manda em quem. O ideal é separar completamente a vida pessoal da empresarial. Conheci casais que, para deixar bastante clara a separação, conversavam em inglês no escritório e em português em casa. Incluam as contas nessa separação, jamais fazendo compras ou pagamentos pessoais ou familiares com cheque da empresa, mas sim após transferir recursos para a conta pessoal. Definam rigorosamente as funções de cada um na empresa e respeitem essas regras e a hierarquia.

O casal empresário tem também suas vantagens. Maior afinidade em relação a planos para o futuro, facilidade em entender os porquês de alguns momentos de sacrifício e mais oportunidades de convivência são algumas delas. Se o ditado diz que é o olho do dono que engorda o gado, dois donos certamente deixam o gado bem mais gordinho.

Unir amor e dinheiro não só é possível como é recomendável. Se trabalhamos para o bem de nossa família, nada melhor do que ter total sintonia nos objetivos a perseguir. Porém, se o casal chegar à conclusão de que trabalhar juntos pode estar minando o relacionamento, uma conversa franca pode levar à conclusão de que um dos dois deve sair da sociedade. Se houver respeito mútuo, essa mudança pode acontecer sem traumas. Por outro lado, se o casal não souber incluir o assunto dinheiro em suas conversas, o trabalho conjunto pode acabar com o relacionamento.

Como sempre, o verdadeiro vilão da história, o dinheiro, estará disfarçado com outros nomes, como, por exemplo, "falta de tempo para nós", "divergências nos negócios", "rotina" e "a chefia lhe subiu à cabeça". Estejam atentos a isso.

O perigo de fazer negócios com o companheiro

Se a união tem seus riscos, imagine quando o casal se coloca em posições opostas em uma negociação. Veja este caso interessante de um casal em que os parceiros decidiram fazer negócios entre si:

Possuo uma empresa gráfica de pequeno porte que produz embalagens de papelão. Minha esposa montou um negócio de marmitas,[3] *que felizmente tem crescido bastante. Como ela precisa de embalagens para as marmitas que entrega, acabei me tornando um de seus principais fornecedores e ela passou a ter uma participação bastante significativa em meus negócios. Como a negociação é em família, temos a vantagem de conseguir simplificar todo o processo. Não temos a burocracia típica praticada com outros clientes, pois evito emitir nota fiscal, pago menos impostos e repasso toda essa vantagem para o preço dela. Assim, ela lucra mais e a vantagem fica toda para nossa família. O que acha de nossa estratégia?*

No curto prazo, parece um bom negócio. Mas, no longo prazo, pior é impossível. Há várias situações de risco se formando na vida desse casal. Lanço algumas perguntas para que reflitam e tomem os devidos cuidados:

- Em uma situação de negócios, a rigidez de exigências e contratos induz as partes a zelarem pela relação, visando preservar sua marca no mercado. Será que em um negócio que se sustenta na base da confiança, sem todas as formalidades, haverá a mesma preocupação?
- Em uma situação de negócios, o não cumprimento de todos os termos contratuais – por exemplo, a falta de pontualidade – pode levar à extinção do contrato ou até a multas. Será que,

[3] Também chamadas de "quentinhas" em muitos lugares do Brasil.

visando preservar a relação, cliente e fornecedor não estão propensos a relaxar o rigor com seu padrão de qualidade?

- Será que, uma vez que existe extrema confiança entre as partes, não haverá maior flexibilidade nas negociações, a ponto de a relação pesar mais que o resultado e uma das empresas entrar em um processo de acumulação de dívidas? Em muitos casos, demora-se a perceber situações graves de endividamento.
- Se o negócio deixar de ser bom para uma das partes (por exemplo, se uma encomenda melhor para a gráfica exigir dedicação total e abandono dos parceiros atuais), será possível cancelar o fornecimento sem que a outra parte fique ressentida?
- Não havendo um controle rigoroso das operações, será que os negócios sobrevivem caso um dos dois se veja obrigado a se afastar das atividades, por problemas de saúde, por exemplo?
- A base da vantagem nessa parceria está na combinação de informalidade e sonegação de impostos. Hoje sabemos que a fiscalização nas diferentes esferas de governo é quase instantânea, o que pode suscitar multas rigorosas. Os negócios sobreviverão caso tenham que se enquadrar nas normas?
- Em caso de fiscalização, é esperado que seja feita a verificação de outros elos da cadeia produtiva, o que levará o fiscal a vasculhar também a atividade do parceiro. Estaria a família preparada para suportar as punições aos dois negócios?

Qualquer negócio que atue na informalidade está sujeito a riscos. Porém, quando a relação entre as partes é de extrema confiança, há maior tranquilidade em negociar de maneira menos vantajosa. Em um primeiro momento, alguém se vale dessa relação para atrasar pagamentos. Como o outro compreende a situação, abre-se a possibilidade para que essa flexibilidade se torne rotineira. Em pouco tempo, a oportunidade irá se transformar em acomodação. Quando um dos dois perceber que seu negócio está padecendo em razão do acordo de confiança, pode ser tarde demais para salvá-lo.

Para evitar esse problema, a regra é formalizar todas as transações entre pessoas de confiança como se não confiassem uma na outra. Ou seja, como uma verdadeira relação de negócios feita com qualquer outro parceiro. Isso dá qualidade às relações de negócios. Porém o tiro pode sair pela culatra. Afinal, como será o clima à mesa do jantar após um dia de duras negociações para preservar os ganhos de cada lado?

Veja aqui outro exemplo, bem menos formal, em que o casal assume posições opostas em uma negociação:

> *Ao contrário do que você sugere em seus livros, eu e minha esposa decidimos manter as contas totalmente separadas, e temos nos dado muito bem assim. De vez em quando, trocamos experiências sobre investimentos e soluções para nossos problemas, o que tem fortalecido nossa relação com o dinheiro. Criamos até uma relação bastante vantajosa: quando um dos dois escorrega no planejamento e corre o risco de entrar no vermelho, pedimos socorro ao outro. Assim, em vez de pagarmos juros aos bancos, pagamos a quem mais amamos.*

Em primeiro lugar, sugiro que esse casal leve em consideração minhas reflexões sobre as finanças separadas no longo prazo. Os efeitos se acumulam, por isso acho interessante reverem sua estratégia.

Outro ponto que requer atenção é o péssimo hábito de emprestar ou de tomar dinheiro emprestado de pessoas queridas, inclusive do companheiro. Isso é fonte certa de problemas, a não ser que o casal tenha o hábito de conversar com franqueza sobre o assunto e que não haja ressentimentos quando o outro faz algum tipo de cobrança.

Se esse não for o caso, o relacionamento pode ser afetado pela chamada síndrome do devedor. Essa síndrome geralmente se inicia com uma atitude bem-intencionada de alguém que decide ajudar aquele que tanto quer bem. Vou exemplificar a evolução da síndrome através de um diálogo ao longo do tempo:

– Meu bem, desculpe-me não contar antes, mas agora não tenho como evitar. Estou com sérios problemas financeiros.
– Como assim? Por que deixou o problema chegar a este ponto? Devia ter me falado antes! Quanto você está devendo?
– É bastante...
– Que loucura! Como você chegou a este ponto sem abrir o jogo? Estava tudo calmo demais para alguém como você, que não resiste a uma promoção! Bom, mas vamos cortar esse mal pela raiz. Vou depositar na sua conta o valor de que você precisa e você me paga quando puder.
– Sério?
– Sério, e não vamos nem falar em juros. Isto significa um adeus a nossas férias, mas é melhor assim. Afinal, eu te amo!

O tempo passa e, independentemente de o devedor estar preocupado com o prazo de pagamento ou de o credor estar preocupado com o recebimento, alguma situação induz o devedor a acreditar que o outro está querendo cobrar a dívida...

– Já ouviu essa? Dinheiro não traz felicidade! Alguém com 10 milhões não é mais feliz do que alguém que tem só 9 milhões....
– (Pensando: Nossa, que piada horrível... Será que é só para me lembrar que eu estou devendo?)

Incomodado com a suposta cobrança, o endividado começa a se sentir acuado. Não quer começar uma discussão, passa a evitar o credor e a ser monossilábico nas conversas. Estranhando a mudança de comportamento, o outro começa a desconfiar que essa atitude tem a ver com o fato de haver uma dívida tão grande entre os dois. Daí em diante é o credor que passa a se comportar de maneira diferente, aumentando a pressão para não deixar de receber a dívida. A essa altura, os ânimos começam a se acirrar...

> *– (Pensando: Que comportamento estranho! Será que estou sendo traído? Será que estou sendo enganado e não vou ver mais a cor do dinheiro?) Não se esqueceu de nosso acordo, não, né?*
> *– Sabia que, mais cedo ou mais tarde, você ia começar a pegar no meu pé! Antes tivesse pedido dinheiro ao banco, que não fica importunando quando a gente está no sufoco!*
> *– Ei, não sou eu que estou pegando no seu pé! É você que está se esquecendo de prestar contas ao nosso compromisso!*
> *– Não está fácil, e eu não fazia ideia de que esses problemas iam acontecer. Eu sabia! É só começarem os problemas que acaba a confiança!*

Não é preciso estender muito o diálogo fictício para deduzir que, se o casal não tiver uma boa conversa, o relacionamento pode ser seriamente afetado pela bem-intencionada atitude de ajudar. Esse tipo de problema é muito comum nos empréstimos entre parentes e amigos, e até um sólido casamento pode ser afetado por desconfianças desse tipo.

Detalhe importante: o diálogo que usei para exemplificar é típico de pessoas que se comunicam bem. Inúmeros casais, por diferentes motivos, mal conseguem tocar no assunto, por isso decisões financeiras de todos os tipos são tomadas sem que se esclareça se o que está sendo oferecido é um presente, um favor ou um empréstimo. O que é o fim de um problema para um passa a ser o começo da dúvida para o outro, e a inexistência de conversa faz com que o sentimento de dúvida se transforme em desconfiança. Quando o casal percebe, já existe um distanciamento entre os dois, e nem sempre há consciência do fato que deu início ao processo.

Nesse caso, temos um problema financeiro. Mas temos também um problema ainda maior: a dificuldade de comunicação entre os parceiros, que poderia ser resolvida com a ajuda de um terapeuta de casais. Acompanhei diversos casais que me procuraram para resolver problemas financeiros e que após resolverem sua dificuldade de comunicação souberam encontrar sozinhos as respostas às suas dúvidas. Avaliem se esse não é o caso em seu relacionamento.

De qualquer maneira, como no caso das relações entre empresas de um casal, o problema da síndrome do devedor está na informalidade decorrente do excesso de confiança – seja ela comunicada ou não. Se o empréstimo fosse contraído em uma instituição financeira, haveria um compromisso por escrito, juros claramente definidos, prazo para pagar e, dependendo da situação, garantias contra a inadimplência.

O mínimo que um devedor deve fazer para não correr o risco de afetar sua relação é assumir um compromisso por escrito, mesmo que o outro não queira, e frequentemente prestar contas de sua situação e de seus planos para quitar a dívida.

Ainda assim, há o risco de um se sentir submisso ao outro, o que também pode estremecer a relação. Para evitar problemas *mesmo*, minha orientação vai para quem tem dinheiro e intenção de emprestar: quer ajudar? Não empreste. Arregace as mangas e ajude seu companheiro a resolver a situação com os próprios meios. Ou, em situações extremas ou mais urgentes, doe os recursos necessários para resolver a situação. Não espere receber de volta. Pode até ser que o companheiro faça questão de devolver, mas, se o outro não contar com o recebimento, não haverá o sentimento de desconfiança.

Imposto de Renda: junto pode ser separado

Contribuintes casados têm duas opções na Declaração de Imposto de Renda: apresentar declarações em separado ou uma declaração conjunta em que um dos dois entra como dependente. Saber qual das duas opções é a mais vantajosa exige uma análise prévia e, em alguns casos, uma simulação de cada situação para identificar qual proporciona o resultado mais vantajoso.

Em geral, quando ambos têm renda tributável, que pode gerar restituição de imposto através da declaração, a melhor alternativa é efetuar declarações em separado.

As razões para o trabalho dobrado se mostrar mais vantajoso são as seguintes:

- Declarando os rendimentos de cada um separadamente, a faixa de isenção da tabela de Imposto de Renda (renda até a qual a alíquota de imposto é nula) é contada em dobro.
- Dependendo da renda de cada um, a alíquota total de imposto pode ser menor do que na declaração conjunta, em razão de os rendimentos totais serem menores.
- No modelo simplificado, cada um dos declarantes substitui todas as deduções previstas por um desconto de até 20% da renda para apurar o imposto devido, até o limite estabelecido no ano-base, que corresponde a R$ 13.317,09 em 2012.[4] Na declaração conjunta, o limite só pode ser usado uma vez.

[4] Para saber o valor atualizado do limite de isenção, consulte o site da Receita Federal do Brasil (http://www.receita.fazenda.gov.br), clique na seção "Cidadão" e veja as regras da declaração de renda no ano atual.

- Quando o casal opta pela declaração em separado, cada um dos dois informa o total dos rendimentos próprios (obtidos com seu trabalho, por exemplo) e 50% dos rendimentos produzidos pelos bens comuns (como aluguéis de imóveis e dividendos de empresas), compensando 50% do imposto retido ou pago, independentemente de qual dos cônjuges tenha efetuado o recolhimento ou sofrido a retenção.
- Se o casal tem contas conjuntas, mas faz as declarações separadamente, há uma variedade maior de possibilidades para distribuir saldos, dívidas e investimentos de acordo com o interesse em obter restituição ou desconto no imposto individual em cada declaração. Basta não incluir os mesmos valores nas diferentes declarações.

No caso da declaração conjunta, a apresentação é feita em nome de um dos cônjuges, abrangendo todos os rendimentos e bens do casal. Essa modalidade tende a se tornar vantajosa quando um dos dois não teve rendimentos tributáveis no ano-base. Ou, se teve, conta com valores elevados em despesas dedutíveis, como despesas médicas, em seu nome. Estejam atentos ao melhor modelo para sua situação.

Separação total: uma estratégia rentável

Todas as críticas às estratégias de união das finanças feitas neste capítulo levam em consideração que muitos casais ainda têm muito a evoluir nas conversas sobre dinheiro até desenvolver a maturidade necessária para evitar grandes problemas.

Entretanto, há casais que, desde o início do relacionamento, conseguem manter um papo franco e aberto sobre dinheiro e seus planos. Isso não só facilita as coisas como também permite colocar em prática uma fantástica estratégia para pagar menos impostos e garantir o bem-estar da família caso algo grave aconteça com um dos dois.

Nesse caso, uma estratégia interessante para as finanças envolve optar pelo regime de casamento com separação total de bens. Nesse regime, em caso de morte ou separação, o companheiro não tem direito a nada que é do outro. Os herdeiros naturais passam a ser somente os filhos. Pode parecer estranha essa sugestão, pois, em geral, optam por esse regime casais que não querem que um interfira na vida financeira do outro ou que têm medo do golpe do baú. Por isso esse tipo de casamento é comum entre celebridades ou quando um dos dois é potencial herdeiro de grandes fortunas.

Porém, mesmo que vocês não sejam celebridades nem tenham nascido em berço de ouro, podem ganhar muito com esse regime de casamento. O importante é planejar a formação de patrimônio juntos, esforçando-se mutuamente para adquirir bens no nome de ambos. Por exemplo, investimentos em nome de um, casa em nome do outro, uma previdência para cada um, e assim por diante.

Quais as vantagens disso? Eis algumas:

- Ao fazer declarações de imposto de renda separadas, há dois limites de isenção de imposto sobre a renda, sobre a venda de imóveis e sobre a venda de ações.[5]
- Em caso de morte de um dos dois, não é preciso aguardar o tipicamente moroso processo de inventário para que a família tenha acesso aos recursos, já que metade do patrimônio já estará em poder do outro.

[5] Quem negocia ações está isento de Imposto sobre o Lucro se vender um total inferior a R$ 20 mil no mesmo mês.

- Ainda em caso de morte, haverá incidência de Imposto sobre Transmissão Causa Mortis apenas uma vez, ao passar os bens para o nome dos filhos. Normalmente o imposto incide sobre parte da herança ao passar para o cônjuge e, quando este morre, incide novamente ao passar para os filhos.
- Caso um dos dois venha a ter problemas com a Justiça, apenas sua parte do patrimônio poderá ser penhorada.

São vantagens inquestionáveis, que talvez levem os casais a considerarem seriamente a mudança para esse regime.[6] Porém, cabe reforçar uma importante ressalva: nesse regime, se não houver total sintonia e cumplicidade entre o casal, corre-se o risco de um dos dois ficar a ver navios em caso de morte do outro ou de divórcio.

Imagine se, a uma certa altura, o casal soma esforços para comprar um apartamento com quase todo o seu patrimônio, coloca o imóvel no nome de um dos dois e, tempos depois, decide se separar. Garantia de problemas, pois o outro não terá direito a esse imóvel. No regime de comunhão parcial de bens, independentemente de em nome de quem estão os bens, tudo que foi adquirido após o casamento por um ou por ambos será dividido meio a meio. Já no regime de comunhão universal de bens, tanto o que o casal obteve após o casamento quanto aquilo a que cada um tinha direito antes (heranças, por exemplo) será dividido igualmente.

A sensatez do modelo faz com que o regime de comunhão parcial de bens seja o mais aceito entre os casais, tanto que é o regime que os cartórios definem como padrão caso o casal não faça nenhuma opção.

[6] Sim, é possível alterar o regime de casamento a qualquer momento. Basta que o casal manifeste esse desejo em cartório.

Enfim, após discutir casos em que tanto a união quanto a separação de bens apresentam riscos, espero tê-los convencido de que o melhor mesmo é construir uma relação sólida – ou sair dela antes que o "cimento" seque. De qualquer forma, se vocês realmente acreditam na união, a regra que ajuda a construir casamentos mais felizes e duradouros é simples: o que é meu é nosso.

5

Gastar bem faz bem

Uma vida mais simples é o caminho para uma vida mais rica

Parem a leitura por um instante e pensem em um momento que possa traduzir a essência da felicidade, aquilo que alimenta a sua alma e faz a vida valer a pena.

Pensaram? Alguns podem traduzir a felicidade pura em momentos como o nascimento de um filho, passar no vestibular, o casamento, sair de férias, receber um prêmio por desempenho profissional, chegar à meta de redução de peso, comprar um carro novo ou quitar a casa própria, entre outros. Realmente é difícil definir a felicidade, mas é fácil perceber quando estamos desfrutando dela.

É inegável que esses grandes marcos fazem a vida valer a pena. Porém, sinceramente, não acredito que alguém se considere feliz porque tem uma vida repleta deles. Eles trazem felicidade intensa, mas não são suficientes para alimentar nosso coração por uma dezena de décadas.

Os grandes momentos nos trazem felicidade intensa porque sabemos que, a partir deles, teremos uma grande dose de alegria e contentamento a desfrutar. A felicidade também está em acompanhar o crescimento de um filho, em ter maior liberdade na rotina da vida a dois, em voltar descansado das férias, em se tornar um herói após uma premiação, em curtir o corpinho na praia após perder peso e em desfilar o carro novo pelas ruas. Por mais simbólicos que sejam os grandes momentos, eles não são a felicidade em si, mas apenas o começo dela. E feliz será quem puder realmente curtir seus momentos de felicidade, não apenas colecionar marcos na vida.

É ao "curtir" que eu queria chegar. Percebam que, para que essa curtição seja viável, uma das restrições que temos é a disponibilidade de dinheiro. Essa felicidade continuada vem da roda do cafezinho com colegas, do *happy hour* com amigos, da pizza que você pede em casa para compartilhar com conhecidos e de todos aqueles momentos interessantes que são provocados por algum tipo de consumo.

Parem novamente e pensem no que lhes traz felicidade no dia a dia. Pensem no momento fantástico que deu início ao relacionamento de vocês. Ou, se o leitor ainda não encontrou sua alma gêmea, pense em um dos momentos mais importantes de sua vida, desde que não seja um daqueles grandes marcos. Pode ter sido uma festa, um show, um filme fantástico, uma dança com uma pessoa especial, uma transa incrível com quem você ama...

Opa! Vocês vão dizer que a dança e a transa não são situações de consumo. Mas, para que a dança pudesse acontecer, como foi o preparo daquele momento? Da escolha da roupa ao perfume, passando pelo ingresso da festa, o transporte, a bijuteria... E o que falar da noite especial de sexo? Duvido que a primeira vez do casal não tenha começado com cuidados detalhados, às vezes ensaiados por meses, ou ao menos com um jantar, um motel ou uma viagem especial.

A felicidade custa dinheiro. E isso não é necessariamente um problema, mas sim um alerta. Todos os dias milhões de pessoas saem para o trabalho em busca de dinheiro e crescimento na carreira para poder dar a si mesmas ou a suas famílias maiores possibilidades de conforto. Porém, em vez de celebrar suas conquistas consumindo o que realmente lhes traz felicidade, a maioria delas não consegue aproveitar as riquezas que já possui, porque precisa pagar a conta do custo de vida, que pouco contribui para a felicidade. Como disse Dalai Lama:

> *Os homens perdem a saúde para juntar dinheiro, depois perdem dinheiro para recuperar a saúde.*

Quanto que alguns metros quadrados a mais em sua moradia as fará mais felizes? E quanto custarão esses metros? Quantos momentos de felicidade elas deixarão de ter ao adquirir essa metragem excedente?

Quando essas pessoas se veem em dificuldades financeiras e precisam cortar gastos, acabam cortando justamente o que lhes faz felizes, pois são gastos eventuais, flexíveis, descompromissados, ou seja, variáveis. Há um erro grave aqui! Esqueçam a ideia de que manicure, cafezinho, maquiagem, tênis de corrida, videogame, jantar com amigos e sua bebida favorita, entre outros, são gastos supérfluos. Manias e caprichos são válvulas de escape para o estresse rotineiro. O errado não é gastar com esses itens, mas não deixar espaço no orçamento para eles.

Não adianta tentar economizar para diminuir seu custo de vida se a estrutura básica de seus custos não muda. Em vez de tentar cortar dezenas de pequenos gastos relacionados ao escasso lazer ou aos pequenos luxos cotidianos, seria muito mais eficaz trocar a moradia atual por outra um pouco menor. Geralmente, não é só a moradia ou o aluguel que diminuem. Todos os gastos acessórios, como contas de consumo, impostos e manutenção, tendem a diminuir quase que proporcionalmente.

Infelizmente, estamos habituados a dar mais importância a aspectos burocráticos de nossa vida, como o padrão da moradia, do carro e da moda, deixando em segundo plano aspectos de consumo que realmente individualizam nossa personalidade.

A partir do momento em que adotamos um estilo de vida mais simples e econômico, uma interessante transformação ganha corpo. Ao preservar verbas para um consumo mais flexível, com maior participação de itens de lazer e qualidade de vida, obtemos mais do que um consumo mais prazeroso. Com ele vem também a possibilidade do efeito substituição, para o caso de ocorrerem imprevistos. Se alguém na família adoece e precisamos adquirir medicamentos, há uma verba de lazer a ser cortada para viabilizar o custeio do gasto inesperado. Isso não é possível quando todo o nosso orçamento está destinado a contas que não deixam margem para ajustes, como prestação ou aluguel da casa, financiamento do carro, escola, impostos e supermercado. Vejam este exemplo:

Renda R$ 2 mil, todas as despesas são fixas	X	**Renda R$ 2 mil, mas parte das despesas é variável**
R$ 500 casa		R$ 400 casa
R$ 500 carro		R$ 400 carro
R$ 500 escola		R$ 400 escola
R$ 500 mercado		R$ 500 mercado
		R$ 300 lazer e poupança

No diagrama anterior temos dois modelos simplificados de orçamento para uma família cuja renda é de R$ 2 mil. A diferença entre os dois orçamentos é que o segundo retrata um estilo de vida mais simples, só que com verba para poupar e para o lazer. Suponhamos que surja um imprevisto, como a necessidade de comprar um medicamento de R$ 100. O impacto desse imprevisto é nítido e bastante diferente nos dois casos:

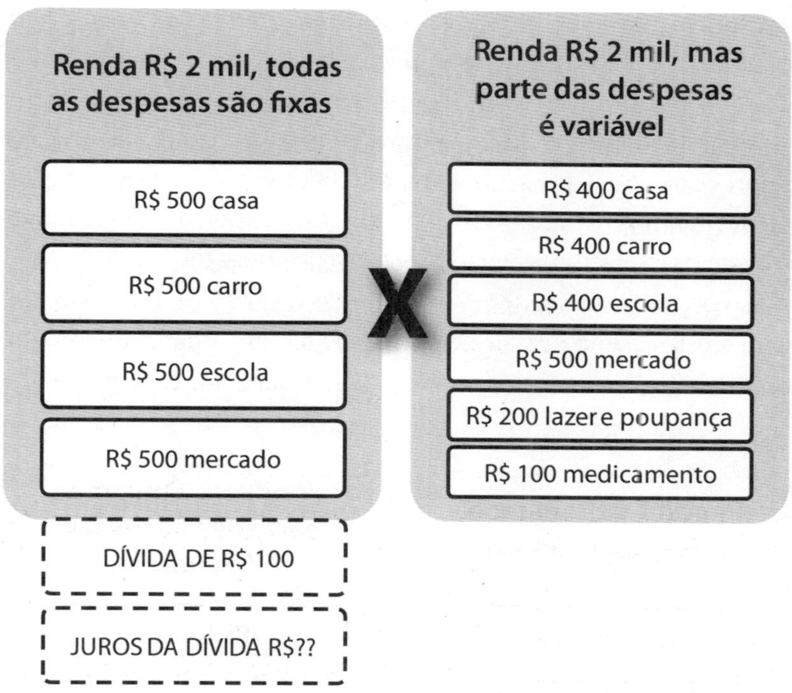

Enquanto o imprevisto estourou o orçamento na primeira situação, na segunda houve apenas um ajuste nos gastos variáveis, diminuindo a verba destinada ao lazer e à poupança. Isso significou uma pequena diminuição do bem-estar e das reservas para o futuro; no primeiro caso, houve a contração de uma dívida cujo pagamento não está previsto no orçamento, o que pode dar início ao famoso efeito bola de neve, com a perda do controle da dívida.

A receita para ter mais qualidade de consumo

Para enriquecer, é preciso gastar nosso dinheiro com qualidade, tendo o cuidado de gastar menos do que ganhamos. Para garantir o futuro, temos que poupar a diferença com inteligência, poupando o mínimo necessário, para que esse esforço seja bem recompensado. A poupança irá assegurar a sustentabilidade de nosso padrão de gastos. Portanto, de nada adiantará poupar para bancar nosso estilo de vida se esse estilo não for prazeroso. Precisamos aprender a gastar nosso dinheiro com mais qualidade.

No capítulo 1, afirmei que qualidade de consumo é gastar seu dinheiro com o que mais contribui para a sua felicidade. Será que podemos desprezar a alegria que nos traz um cafezinho, uma revista ou uma *quick massage*? E a satisfação de dispor de parte de nossa renda para ajudar uma causa humanitária? Portanto, antes de começar os cortes de gastos, proponha-se a elaborar um ranking de prioridades entre seus hábitos de consumo mensais. É um bom exercício de autoconhecimento. A ordem desse ranking deve obedecer ao sentimento de realização pessoal que cada hábito lhe traz.

Quanto maior o prazer obtido, mais alta a posição no ranking. Para alguns, estará no topo o cafezinho diário ou o *happy hour* com amigos. Para outros, a contribuição à igreja ou a associações assistencialistas. Há quem prefira comprar roupas da moda. Pouco importa. O interessante é que, conscientizando-se da importância de cada gasto para você, será mais fácil identificar o que menos contribui para sua satisfação pessoal. Na hora de planejar cortar gastos ou buscar verba para grandes sonhos, pense em eliminar itens menos prazerosos.

A partir do momento em que contamos com mais verba para o lazer e o bem-estar, e com a possibilidade de lidar com os imprevistos com tranquilidade, vivemos melhor e mais felizes. Essa conclusão, por si só, já é suficiente para fazer com que não precisemos contar frequentemente com uma reserva financeira para emergências. Em razão disso, podemos diminuir a liquidez de uma parte maior de nossas reservas financeiras, o que permite adotar uma carteira de investimentos menos conservadora e mais eficiente no longo prazo. O raciocínio é simples: quanto menos apertos tivermos em nossa vida cotidiana, menos utilizaremos nossas reservas para apagar incêndios; quanto menos precisamos dispor de nossos investimentos, maior será nossa propensão a tolerar os altos e baixos típicos de investimentos de risco, como imóveis e ações.

Ou seja, mais do que a tranquilidade de contar com verba disponível, o estilo de vida mais simples também permite que melhoremos a qualidade de nossos investimentos. Não basta, portanto, a saudável atitude de cortar gastos. É preciso adotar um estilo de vida em que os gastos se situem em um patamar menor sem comprometer nossa realização pessoal e nossa segurança financeira. Ao investir, não basta assumir riscos para colher resultados diferenciados. É preciso adequar os riscos às necessidades de segurança financeira da família para não se expor à necessidade de efetuar um resgate em meio a uma crise. Esse conjunto de posturas inteligentes, somado à aquisição contínua de conhecimento sobre nossas escolhas e nossos investimentos, é a receita certa para a construção de riqueza nas famílias.

Quando a preocupação é apenas gastar

Sem dúvida alguma, o comentário mais comum que recebo quando o assunto é finanças de casais é sobre o comportamento compulsivo ou descontrolado do parceiro quando vai às compras. Em geral, trata-se de maridos reclamando das esposas quando vão ao shopping ou esposas reclamando dos maridos a respeito de compra do carro ou da cerveja com os amigos.

Já abordei este tema em outros livros, mas não posso deixar de frisar minhas reflexões sobre a compulsão por consumo, que é um mal que continua rondando os lares brasileiros. Quando não há necessidade de tratamento médico (a maioria dos casos não precisa), normalmente o problema é fruto de represamento de uma grande vontade, ou até da falta de autoconhecimento para organizar os planos de consumo.

Represamento de vontade. O que faz alguém feliz não necessariamente é a mesma coisa que traz felicidade ao parceiro. Pode ser que boa parte de sua realização esteja em uma viagem de férias por ano, enquanto a de seu parceiro pode estar em manter o guarda-roupa na moda ou sustentar o vício de bombons ou cafezinhos diários. Se de tempos em tempos não houver aquela conversa sobre "você está feliz", pode ser que passemos a vida inteira nos esforçando para manter um determinado padrão de vida quando o esforço financeiro para vitaminar a felicidade não custaria muito. Se o que nos faz feliz não entra efetivamente no orçamento, a vontade vai sendo reprimida. Basta entrar um dinheiro a mais na conta, como o 13º salário ou a restituição de Imposto de Renda, para que surja a oportunidade de ir às compras. Porém, ir às compras com a vontade represada é como ir ao supermercado com fome. É difícil conter o impulso. Em nosso cérebro soa um sinal que nos avisa que é hora de tirar o atraso, curtir esse momento e que, já que encontrar satisfação é tão raro, devemos também adiantar as compras dos próximos meses. Daí vem a compra bem maior do que a planejada. Para mudar esse cenário, a solução é simples: descubram o que é realmente importante para cada um de vocês e incluam a verba para isso em seu orçamento mensal. Para que a compra a cada três meses não se transforme em um desastre, estabeleçam como regra que a compra será mensal, com uma verba destinada só para isso. Façam dos maiores desejos uma rotina, não um projeto eventual. Conscientes de que terão mais uma oportunidade dentro de algumas semanas, vocês saberão lidar melhor com a dúvida e deixar um pouco do prazer da compra para o próximo mês.

Falta de autoconhecimento. Também em razão da falta de diálogo sobre felicidade, muitas pessoas sentem-se frustradas e não entendem exatamente o porquê. Nesse caso, ir às compras também funciona como uma válvula de escape, pois consumir é um ato de prazer. Os profissionais do marketing criam lojas com ambiente, cores, iluminação, música e aroma agradáveis e atendentes amáveis justamente para aguçar nossos sentidos e nos induzir a mergulhar no sedutor processo de compra. Quanto menos felizes com a vida estivermos, mais carentes e propensos a ceder a esses estímulos estaremos. Quando uma mulher sai de uma loja com 10 pares de sapatos, talvez ela não precise de tantos pares, mas sim do prazer de se ver bela, bem atendida, bajulada e cuidando de si mesma. Não precisava de sapatos, mas da compra. Se, por outro lado, tivesse um grande motivo para dizer não a uma compra prazerosa, provavelmente agiria menos por impulso.

Por isso, antes de culpar o maridão pela desnecessária roda exclusiva de alumínio no carro ou a esposa pelos sapatos que não cabem mais no armário, que tal conversar sobre sonhos? Curtam mais a vida para que o prazer das compras fique pequeno diante do resto. Conheçam-se melhor para não descontar nas compras e se arrependerem depois.

Gastando menos com a casa própria

Se a idea é preservar os pequenos e variados gastos que nos trazem felicidade e cortar gastos maiores, nada melhor do que rever aquele que, segundo o Instituto Brasileiro de Geografia e Estatística (IBGE), é o maior item do orçamento das famílias brasileiras: a moradia. O assunto é polêmico, mas vale a pena ir adiante.

Pouco mais de 30% da renda de cada família, em média, é consumida para pagar o aluguel ou a prestação da moradia. Reduzir esse percentual para 20 ou 25% certamente traria maior possibilidade de escolhas ao casal.

Entretanto, os brasileiros buscam adquirir sua moradia muito cedo, por volta da época do casamento ou pouco tempo depois. Nesse momento, pelo fato de serem jovens, sua renda é relativamente baixa, o que limita as possibilidades de escolhas de imóveis. Se a opção é pelo financiamento, o casal assumirá uma dívida pesada (cujas parcelas ocuparão perto de 30% da renda conjunta) durante um prazo bastante longo – geralmente entre 20 e 30 anos.

Não é o caso de condenar o valor do financiamento, que faz a moradia custar de duas a três vezes o que custaria à vista. Afinal, as prestações de planos de longo prazo costumam ser menores do que o aluguel quando se trata de imóveis populares, e multiplicar o valor de aquisição é o preço justo por adiar por tanto tempo a quitação do compromisso. Obviamente, esta é a opção mais cômoda para quem não pode pagar à vista e não quer ficar preso ao aluguel.

Porém, convenhamos que, ao assumir uma dívida tão longa e pesada no orçamento, muitas de suas importantes escolhas mudarão por causa dela. Vejam aqui 10 argumentos para que vocês pensem duas vezes antes de comprar a casa própria:

10 argumentos contra a casa própria

1. Vender o imóvel enquanto está financiado não é bom negócio, pois a maior parte do que é pago no começo do plano é relativa apenas aos juros e, por isso, não conseguiremos recuperar grande parte do valor pago ao vender. Assim, a decisão de compra, quando benfeita, significa decidir onde morar pelas próximas décadas.
2. Pelo motivo acima, adquirir um imóvel que se adeque exatamente às necessidades de um casal recém-casado, como uma quitinete, pode se tornar um mau negócio. Normalmente, o casal adquire um imóvel com dois ou três dormitórios, contando com a possibilidade de filhos.
3. Esse imóvel maior do que o necessário será também mais caro, ocupando uma fatia maior do orçamento.
4. Tamanho desembolso mensal reduzirá bastante a flexibilidade do orçamento, limitando extremamente a verba para o lazer e poupanças regulares.
5. Menos flexibilidade no orçamento significa menos opções para lidar com imprevistos, o que pode levar o casal a recorrer a eventuais empréstimos para cobri-los.
6. Com uma dívida pesando excessivamente no orçamento, o casal terá menos crédito à sua disposição e, por isso, terá que contar com limites baixos e taxas de juros altas quando precisar de recursos do sistema financeiro.
7. Com menos gastos com lazer, bem-estar e qualidade de vida, o casal precisará de uma dose extra de boa vontade para lidar com a rotina e manter o relacionamento saudável.
8. Optando por se fixar em uma moradia própria quando ainda jovem, o casal terá menos opções para subir na carreira, pois algumas ofertas de emprego se mostrarão distantes e inviáveis para quem não pretende vender ou não quer assumir o custo de fechar um imóvel ao aceitar uma proposta de mudança temporária.
9. Com uma dívida significativa, o casal terá menos propensão a aceitar desafios de maior risco na carreira – aqueles que, quando

dão certo, permitem um bom salto na renda, mas, quando dão errado, obrigam a procurar outros caminhos. Quem quer assumir uma oportunidade de risco se tem uma dívida de duas ou três décadas para pagar?

10. Dificuldades para subir na carreira tenderão a forçar uma estagnação da renda, limitando escolhas mais importantes na vida do casal, como criar um filho com dignidade e preparar uma aposentadoria rica e também digna.

Uma ressalva importante: não sou contra a casa própria. Porém, acredito que vocês devem adquiri-la sem comprometer algumas de suas mais importantes escolhas financeiras:

- a capacidade de poupar para a aposentadoria;
- a capacidade de garantir verbas para cultivar a quebra da rotina e novas experiências;
- a capacidade de poupar para realizar sonhos;
- a capacidade de aproveitar oportunidades de risco para que cresçam tanto na carreira quanto em patrimônio.

Se vocês têm capacidade financeira para gastar com qualidade, poupar para o futuro, formar reservas financeiras e, ainda assim, pagar o financiamento ou outra forma de aquisição da moradia, sigam em frente. Meus 10 argumentos contra a casa própria não são para vocês, principalmente se puderem pagar a moradia em um prazo inferior a 10 anos. Acima disso, o custo financeiro pesa muito.

Por outro lado, se para garantir a moradia própria vocês têm que abrir mão de fatores importantes para a tranquilidade financeira, recomendo adiar a compra da casa própria. E não vejo motivo para se preocuparem com essa decisão, pois tenho 10 argumentos que demonstram que pagar aluguel pode ter um papel estratégico em seu enriquecimento:

10 argumentos a favor do aluguel

1. Quando jovens, ao optar por um contrato de aluguel de dois ou três anos, não é preciso contar com mais quartos do que o que o casal realmente precisa. Basta que planejem seus filhos de acordo com essa escolha.
2. Optando por um imóvel menor, o aluguel será proporcionalmente mais caro,[1] porém o casal pode ajustar o tamanho da moradia ao orçamento, garantindo em primeiro lugar a poupança e a qualidade de consumo, e então optando por um aluguel que concilie as demais despesas.
3. Morar perto do trabalho. Geralmente, bairros não residenciais não são agradáveis, mas são interessantes para quem não quer perder tempo com deslocamento, planeja esse sacrifício por poucos anos e, principalmente, conta com verba para deixar a moradia nos fim de semana.
4. Alugar um imóvel perto do trabalho dispensa a compra de um dos automóveis, segundo maior item no orçamento da classe média brasileira. Se ambos os parceiros tiverem a sorte de morar perto do trabalho, os dois carros podem ser dispensados. Pagar R$ 50 de táxi diariamente sai mais barato do que manter um automóvel médio na garagem. Sem contar que, já que o deslocamento é curto, bicicletas ou similares são opções mais saudáveis e ecológicas. Deixem o táxi para os dias de chuva e fins de semana.
5. Sem o peso de um grande financiamento a pagar, é mais fácil o casal garantir uma poupança não só para a aposentadoria como também para objetivos de curto e médio prazos.
6. Com menos dívidas e mais poupança, o casal passa a ter um relacionamento bancário mais interessante, com atendimento diferenciado e opções de crédito cada vez melhores, com limites maiores e custo mais baixo.

[1] Quanto menor o imóvel, maior tende a ser o preço do aluguel, pois há maior concorrência entre interessados. Na cidade de São Paulo, enquanto o aluguel mensal de um imóvel popular custa cerca de 0,8% do valor de venda do mesmo, é possível alugar imóveis de alto padrão com taxas de aluguel inferiores a 0,5% de seu valor comercial.

7. Quando possui uma poupança, o casal tem mais liberdade de escolha nos caminhos da vida. Afinal, essa reserva permite recompor a vida caso alguma oportunidade não dê certo.
8. Além da formação da poupança, outro fator que permite crescer na vida é a mobilidade geográfica. Se surgir uma grande oportunidade profissional em qualquer lugar do mundo, na pior das hipóteses vocês terão que pagar uma multa por entregar o imóvel antecipadamente.
9. Com maior flexibilidade para oportunidades de trabalho, a carreira tende a evoluir e a renda do casal tende a crescer mais do que na engessada situação da casa própria.
10. Engravidaram? A vizinhança se deteriorou? Querem morar mais perto de amigos? Decidiram fazer um curso em outro estado ou país? Enjoaram do lugar? Basta apontar no mapa um lugar melhor, fazer as contas e mudar.

Outra ressalva importante: não acredito que aluguel seja a melhor opção de moradia por toda a vida. Apenas vejo a flexibilidade desse modelo como um fator fundamental para que vocês acelerem o processo de formação de patrimônio. O aluguel é interessante enquanto esperamos mudanças significativas em nossa vida, como a chegada de filhos (poucos sabem quantos virão no começo da vida a dois), troca de emprego, viagens, cursos e ousadia nas escolhas. A flexibilidade permite menor custo de vida e maior potencial de aumento de renda.

Provavelmente chegará um momento na vida de vocês em que tal flexibilidade não agregará mais vantagens. Normalmente isso acontece quando o casal alcança um determinado patamar de estabilidade na carreira ou quando os parceiros começam a recusar ofertas de trabalho que, mesmo pagando mais, prejudicam a adaptação dos filhos à escola, afastam o casal de pais que estão precisando mais de sua companhia ou mesmo quebram uma rotina de *happy hours* e atividades sociais com grandes amigos.

Quando chegar esse momento em que o casal não queira trocar a qualidade de vida por aumentos de salário, também é bem provável que não deixe de buscar tantas mudanças na moradia. Pelo contrário, o casal desejará ter seu próprio cantinho. Essa será uma boa hora para comprar a casa própria, contando com crédito e uma renda bem maior, que permitirá pagar o financiamento em 10 ou 12 anos. Além disso, os anos a mais de trabalho podem ter assegurado um robusto saldo no Fundo de Garantia por Tempo de Serviço (FGTS), ou então uma poupança específica para a entrada no financiamento ou um lance em um consórcio.

Além de terem formado poupança, poderão comprar uma moradia melhor, em condições mais seguras e pagando prestações menores, caso usem o FGTS ou optem pelo consórcio. Vocês terão todas essas vantagens apenas postergando a escolha pela casa própria por 5 a 10 anos. Creio que não são necessários mais argumentos.

Ressalva para casais que não se consideram mais tão jovens. Vocês se conscientizaram de que a estratégia é interessante, mas já passaram dessa fase? Já tiveram filhos, já acumularam dívidas, quitaram ou estão para quitar a casa própria e não formaram poupança? Se os argumentos acima trazem uma sensação de arrependimento, trago um alento. Que tal venderem a casa? Essa recomendação pode parecer absurda, mas já acompanhei centenas de casos de pessoas que, perto da aposentadoria e sem terem alcançado o patrimônio que desejavam, optaram por vender a moradia. Motivo: fazer o dinheiro da venda do imóvel se multiplicar em algum investimento bem-planejado enquanto encaram o sacrifício do aluguel por alguns anos. Pelo Brasil afora, a estratégia mais comum que vi funcionar foi comprar um terreno, construir três ou quatro casas, passar a morar em uma delas e ficar com as restantes para obter renda de aluguel. Os mais ousados preferiram vender as restantes para continuar a estratégia de construir para revender. Vi dezenas de famílias saírem da dificuldade para um patrimônio milionário em menos de 10 anos por esse caminho.

Que tal ajustar suas grandes escolhas?

A enorme vantagem de optar por uma situação mais simples ou flexível para depois viabilizar uma condição muito melhor não é exclusividade da categoria orçamentária "moradia".

Em geral, qualquer grande escolha de consumo pode ser ajustada no tempo para garantir uma construção mais sólida de riqueza. Reuni alguns exemplos como argumentos para essa ideia:

1. Automóvel

O ERRO: Adquirir, com a melhor das intenções, um automóvel maior – ou mais confortável, mais moderno, mais bonito – e não considerar que diversos custos aumentam de modo desproporcional ao padrão do carro. Entre eles, consumo, seguro, manutenção e desvalorização. Quando financiados por prazos longos, como 60 meses, o custo financeiro chega a superar em 50% o valor de tabela do automóvel.

A OPÇÃO: Modelos menos sofisticados desvalorizam menos, são menos visados, consomem menos e têm revisões mais baratas, sem contar o menor peso na consciência quando um imprevisto acontece.

A VANTAGEM: Atualmente, modelos populares não são menos seguros do que seus irmãos maiores. Podem ser adquiridos com prestações mais baratas e em menor prazo. Como pesam menos no bolso, permitem que o programa de manutenção seja mantido com menos sacrifícios. Além disso, podem ser mais desfrutados em passeios e viagens planejadas com a verba que seria utilizada apenas para pagar as prestações de veículos maiores. E, com uma dose de consciência, o comprador poupará regularmente para, na próxima compra, adquirir um modelo melhor sem incorrer em financiamentos mais longos para isso.

2. Telefonia móvel

O ERRO: Contratar pacotes de dados e planos de minutagem mais caros para ter direito ao último lançamento em smartphones. Com isso, o consumidor assume um custo fixo de ligações que, com um pouco de criatividade, poderia ser evitado. Outro problema é que aparelhos sofisticados nos induzem a adquirir, apenas por curiosidade, aplicativos que normalmente não pensaríamos em adquirir.

A OPÇÃO: Adquirir modelos mais simples, contratar planos pré-pagos e limitar o uso da telefonia móvel a conversas objetivas e breves. Redes sociais, serviços de localização e jogos podem ser acessados sem custo pela internet de casa, permitindo reduzir sensivelmente o custo do item telefonia.

A VANTAGEM: Economia na forma de comunicação do casal é uma das maneiras de contribuir para a aceleração da formação de patrimônio. Uma vez conquistado um patamar de estabilidade e criada a condição de o casal poder fazer mais escolhas, uma delas pode ser adotar formas mais interessantes e divertidas de comunicação. Sim, vocês podem viver sem tudo isso, e provavelmente viver melhor. Quando se tornam um vício, smartphones servem para aproximar aqueles que estão longe e afastar quem está perto.

3. Curso de idiomas

O ERRO: Cientes de que para crescer na carreira é preciso dominar idiomas, algumas pessoas optam por se inscrever em um dos mais reconhecidos cursos da cidade. Além de custar caro, há o ônus do engessamento da agenda e do significativo consumo de tempo em estudos, o que é típico das melhores escolas. O problema é que, se o idioma não for mesmo um diferencial e a desejada vaga de emprego não for conseguida, um grande investimento será perdido se a prática não for continuada.

A OPÇÃO: Cursos de conversação – e não de formação em gramática e preparação para certificações – são bem mais baratos, flexíveis, deixam-nos confiantes em poucos meses e, normalmente, têm unidades em vários locais. O objetivo não é aprender a dar palestras em outro idioma, mas apenas conseguir conduzir uma conversa de maneira correta e coerente. Alguns deles funcionam pela internet, alternativa interessante para os mais disciplinados.

A VANTAGEM: Conversação em outro idioma é sempre um diferencial. Mas, quando é necessário um nível de conversação impecável, normalmente a empresa que contrata custeia ou copatrocina um curso de primeira linha. É possível criar diferenciais no currículo por conta própria para que portas sejam abertas e incluir na negociação do novo emprego algum subsídio para acelerar o processo de aprendizagem. Com isso, diminui-se o risco de fazer um investimento sem a certeza de retorno.

4. Viagem de férias

O ERRO: Exagerar no desfrute do descanso e passar meses lamentando a conta a pagar. O trauma de férias anteriores é um dos motivos que levam muitos trabalhadores a acumularem férias vencidas.

A OPÇÃO: Usar a criatividade para desfrutar de roteiros interessantes. A regra básica é poupar regularmente para as férias, e só definir o destino com base no valor disponível. Como alternativa, o casal pode adotar o hábito de caçar oportunidades, quando grandes descontos são dados para ocupar vagas canceladas de última hora em hotéis, aviões e navios.

A VANTAGEM: Voltar de férias com a cabeça vazia e sem a preocupação de carregar a dívida por meses. Nada de risco de perder o controle e se arrepender de ter desfrutado da merecida recompensa. Não há estímulo melhor do que este para começar a planejar quanto antes as férias seguintes.

5. Eletrodomésticos

O ERRO: Adotar o mau hábito de adquirir a última novidade do mercado em televisores, geladeiras, reprodutores de mídia e afins, geralmente parcelando em várias vezes. Em média, um eletrodoméstico parcelado em 24 vezes acaba custando 20% mais do que se fosse pago à vista nas lojas que se dispõem a negociar.

A OPÇÃO: Passar a poupar regularmente com o objetivo de renovar os aparatos tecnológicos do lar.

A VANTAGEM: Com dinheiro poupado para pagamento à vista, teremos um ganho com o rendimento desse recurso investido, além de um grande poder de barganha para negociações à vista. E a negociação será ainda melhor se pensarmos em adquirir um modelo que está sendo substituído por outro um pouco mais moderno. Convenhamos: essas mudanças raramente trazem alguma contribuição significativa que justifique o que se paga a mais.

Lembrem-se: comprar à vista e com desconto é também uma forma de investimento, pois permite comprar mais com menos dinheiro.

Finalizo este capítulo na esperança de tê-los convencido de que quanto mais vocês forem capazes de optar pela aquisição de grandes bens somente quando eles couberem com tranquilidade em seu bolso, mais seus recursos crescerão para facilitar a aquisição de novos bens futuramente. E não entendam “futuramente” como sendo a partir da aposentadoria. Quanto antes acontecer, melhor. É uma questão de planejamento.

6

Dívidas? Talvez

Dívidas boas são as que nos deixam mais ricos do que seríamos sem elas

Mais uma pergunta para refletirem: vocês têm crédito? Muitos talvez nem saibam exatamente do que trata a pergunta, pois, no Brasil, não temos o hábito de zelar por nosso crédito. Estamos longe de ser educados para isso.

Ter crédito é poder contar com recursos – financeiros ou não – facilmente e a preço baixo caso sejam necessários. Tem crédito quem consegue demonstrar a bancos e afins que, caso tome dinheiro emprestado, agirá da melhor maneira possível para que esse compromisso seja honrado conforme foi negociado.

Não basta ter vontade de pagar. É preciso comprovar essa vontade. Isso se faz não em uma entrevista ou preenchendo um questionário, mas sim ao longo de vários anos, demonstrando capacidade de lidar com dinheiro através da evolução de nossa carreira, de nosso patrimônio e de nossos compromissos a pagar.

Se vocês forem morar nos EUA, onde a análise de crédito é muito mais evoluída e transparente do que no Brasil, a primeira recomendação feita aos imigrantes é que adquiram um cartão de crédito e concentrem seus gastos nele. Afinal, quando utilizamos o cartão, a operadora paga aos lojistas e nos cobra somente na data do vencimento da fatura. Nos EUA, ter um bom histórico no cartão é o primeiro passo para começar a ter acesso a crédito nos bancos e financeiras. No Brasil, um histórico desse tipo tem pouco peso na concessão de crédito, pois nossos modelos de análise, mais simples, levam em consideração critérios mais genéricos, como renda, endereço e número de filhos – como se todos que têm a mesma profissão e moram no mesmo bairro tivessem a mesma propensão a pagar.

Poucos se dão conta de que, quando pedimos emprestado, não temos a obrigação de pagar. Não, vocês não leram errado. Ao pedir dinheiro emprestado no banco, não temos a obrigação de pagar nossas dívidas. Uma operação de crédito não é uma obrigação de quitação imposta pelo credor, mas sim uma relação de confiança. O cliente pede dinheiro ao banco e este pode ou não emprestar, de acordo com sua conveniência. Não é obrigação do banco emprestar dinheiro.

É por isso que, quando financiamos um bem de grande valor, como um carro ou uma casa, há uma longa lista de questões burocráticas a atender. Todos os documentos, firmas reconhecidas, cartas de aval, comprovação de renda e de endereço são para provar nossa estabilidade e nossa idoneidade.

Uma vez conseguido o empréstimo, um contrato diz como deveremos pagar nossas obrigações, mas, se não tivermos condições de pagar, não seremos obrigados a isso. Em alguns casos, o bem financiado é tomado de volta. Em outros, há convocações para renegociar a dívida. Normalmente o não pagamento faz com que nosso nome seja inscrito em cadastros de inadimplentes. Mas, a pagar mesmo, não há quem nos obrigue. Afinal, quem assumiu o risco foi o banco, ao avaliar o cliente e emprestar dinheiro.

É por esse motivo que, dependendo do tipo de crédito que utilizamos, a taxa de juros é bem mais alta. Se não houver garantia de recuperar ao menos parte do valor com o confisco de bens, os bancos e financeiras embutem suas perdas nas taxas cobradas.

Nada de comemorações

Não precisar pagar a dívida é algo que pode, mas não deve ser feito. O motivo é simples: não importa se o crédito foi tomado por necessidade ou por mera decisão de consumo. Não pagá-lo sem uma boa razão, como perda de emprego ou um acidente que implique grande custo, significa trair uma relação de confiança por vontade própria. A reconstrução de uma imagem idônea pode levar anos, às vezes décadas, e pode ser que vocês venham a precisar de crédito antes disso.

Mesmo que vocês voltem a regularizar sua situação financeira, terão crédito à sua disposição, mas ele certamente será caro e com limites baixos.

Donald Trump, magnata do mercado imobiliário na cidade de Nova York, tornou-se bilionário com seus negócios, mas uma crise imobiliária fez com que quebrasse. Ele conta em suas diversas biografias que o que o ajudou a se reerguer e se tornar bilionário novamente foi o fato de ter muito crédito:

> *Quando precisei de dinheiro novamente para reconstruir meu império, encontrei todo o recurso de que precisava à minha disposição. A cada negociação, ao sentar-me com os presidentes dos bancos, via diante de mim negociadores orgulhosos e admirados de terem a oportunidade de negociar com Donald Trump.*

Poucas vezes vi uma frase que traduza melhor o conceito de crédito. Ter bancos ávidos por emprestar dinheiro a alguém quebrado é fruto de uma reputação digna de poucos. Todo o mercado sabia que, apesar de quebrado, Trump era uma pessoa que sabia lidar bem com o crédito e construir riqueza. Ele tinha bons planos para isso. Em outras palavras, sabia tomar dinheiro emprestado.

E vocês? Sabem lidar com suas dívidas? Ou abominam qualquer tipo de endividamento? Evitar totalmente as dívidas nem sempre é um bom negócio. Vejamos o porquê.

Três grandes perfis de crédito

Em relação à maneira como utilizam os limites de crédito oferecidos pelo sistema financeiro, as pessoas podem ser classificadas em três perfis:

1. **Os que contam com dívidas para sobreviver.** São aqueles que incorporaram o limite do cheque especial ou do crédito consignado à renda mensal e não conseguem mais viver sem ele. Por mais que se acostumem com uma vida de altos e baixos mantidos pelo dinheiro fácil, não percebem quanto isso pesa em seu bolso nem o que deixam de construir na vida por pagarem tanto aos bancos. Em geral, essas pessoas têm dificuldades em crescer profissionalmente porque sua situação orçamentária, sempre no limite, torna-as mais temerosas e menos propensas a ousar e assumir posições mais arriscadas, tanto nos investimentos quanto na carreira.
2. **Os que evitam todo tipo de dívida.** Tipicamente são muito racionais e costumam tomar suas decisões sempre com base nos números. Como raramente pagam algum juro ou multa e costumam poupar para adquirir à vista tudo o que compram, conseguem fazer seu dinheiro render muito mais do que o das pessoas do perfil anterior,

que fazem comentários do tipo "Como ele faz para ter um carro desses e uma casa enorme, se ganha o mesmo que eu?". Por excesso de racionalidade, as pessoas deste perfil tendem a deixar para o futuro ou até para a aposentadoria a maior parte de seus planos de desfrutar a vida. O maior risco que assumem é o de não conseguir aproveitar tudo o que poderiam de sua jornada.

3. **Os que sabem usar o crédito para enriquecer.** Poupar para realizar sonhos e para a aposentadoria faz com que, no futuro, utilizemos muito mais dinheiro do que o que poupamos. O mérito é dos juros ganhos nas aplicações. Porém, há situações em que contar com recursos imediatos pode ajudar a superar imprevistos, viabilizar momentos de grande realização pessoal ou mesmo fazer investimentos para começar ou expandir um negócio ou a carreira. Mesmo contando com reservas, contrair dívidas, nesse caso, seria o preço a pagar para aproveitar oportunidades sem ter que desfazer os planos de realização de sonhos. Este é o raciocínio daqueles que desfrutam de seu bom perfil de crédito enquanto enriquecem. Em relação aos que evitam as dívidas, seu maior ganho será antecipar o desfrute de algumas oportunidades na vida, contando com o enriquecimento pessoal planejado para pagar o preço dessas dívidas. Detalharei mais este perfil a seguir, no item ***Quando vale a pena pagar juros***.

Referi-me a pessoas, no plural, para explicar os perfis, pois em uma relação a dois podem existir alguns atritos decorrentes das diferenças de perfis em relação ao crédito e às dívidas. Porém, independentemente de a relação do casal com o crédito ser fruto de entendimento ou não, o que vale é a prática que resolvem adotar diante das dívidas.

Por mais que vocês estejam em um meio-termo entre dois dos perfis citados, é importante identificar como o mercado financeiro os vê, para que possam melhorar ou refinar sua estratégia como casal. Como expliquei ao definir o regime de separação total de bens, na maior parte dos regimes de casamento o perfil de crédito que conta na avaliação do banco é o do casal, e não dos indivíduos. E a situação de pagamentos e inadimplência de ambos pode ser consultada por qualquer instituição financeira no Sistema do Banco Central (Sisbacen) – um bom motivo para ambos zelarem pelo crédito do casal.

Quando e como evitar juros

Vocês já sabem que o brasileiro gasta cerca de 30% de sua renda com a moradia. Desse valor, aproximadamente dois terços (ou seja, 20% da renda) são apenas juros pagos ao banco. Por exemplo, um imóvel de R$ 100 mil, financiado em 25 anos a juros de 0,95% ao mês, sem entrada, irá custar 300 prestações de R$ 999,67, ou o total de R$ 299.900,46. Outro gasto relevante para os brasileiros é o automóvel, que consome cerca de 15% da renda. Destes, um terço (ou 5% da renda) é de juros do financiamento. Em outras palavras, cerca de 25%, ou um quarto da renda das famílias brasileiras, vão todos os meses diretamente para o banco, apenas se levarmos em conta moradia e automóvel.

Considerando que o brasileiro médio também adora financiar o telefone celular e alguns eletrodomésticos, e que não raro usa a conveniência do cheque especial, não é difícil comprovar a constatação dos institutos de pesquisas econômicas, que afirmam que cerca de um terço do que ganhamos serve apenas para pagar juros ao sistema financeiro.

Até aqui, ainda não se pode condenar essa escolha, uma vez que existe a possibilidade de esse crédito estar antecipando conquistas importantes na vida das pessoas. Porém, convenhamos: se um terço do que ganhamos já está condenado por escolhas que fizemos no passado e ainda iremos passar muito tempo pagando, fica fácil entender por que é tão difícil colocar em prática novos planos.

A estratégia de poupar para consumir e evitar exageros nos empréstimos e financiamentos não só é mais rentável, como também nos dá mais flexibilidade no orçamento e liberdade de escolha. E se algo der errado e tivermos que ajustar os planos? Ou uma boa oportunidade profissional demandar investir em um curso específico e precisarmos rever nossas metas? Quem tiver dívidas pesadas a pagar terá mais dificuldade em aproveitar o que a vida oferece de melhor.

A título de exemplo, levem em consideração que um casal que ganha aproximadamente R$ 3 mil por mês irá gastar em juros, se não tomar certos cuidados, cerca de R$ 1 mil mensais. Em 40 anos de trabalho, será um total de R$ 480 mil em juros pagos. Se, em vez de gastarem um terço da renda com juros, gastassem "apenas" 20%, ou um quinto, o equivalente a R$ 600 mensais, esse total de juros pagos em 40 anos cairia para R$ 288 mil, ou seja, R$ 192 mil de gasto a menos.

Se esses R$ 400 mensais economizados em juros fossem poupados com ganhos reais (descontados inflação e Imposto de Renda) de 0,5% ao mês, ao longo desse período de 40 anos, o casal formaria um patrimônio de R$ 800.579,28! Com esse patrimônio, poderiam se aposentar com uma renda de R$ 4 mil mensais, desde que conseguissem manter os rendimentos de 0,5% ao mês. Hão de convir que o esforço de evitar o excesso de juros vale a pena, não?

Por isso é importante atentar para quanto desembolsamos em juros e diminuir esse gasto. O problema é que, nas prestações que pagamos, os juros se misturam com as amortizações das dívidas, e só quem realmente entende de matemática financeira conseguirá estimar precisamente esse valor.

Para simplificar, recomendo uma estratégia de sete passos para pagar menos juros.

Sete passos para pagar menos juros em financiamentos e empréstimos

1. Se o bem a financiar é um item de consumo, evite adquirir modelos recém-lançados ou top de linha, que custam mais. Como o financiamento cobra um preço pelo esforço de poupança que não foi feito, sejam racionais e comprem um modelo mais simples, pensando na utilidade dele.
2. Pesquisem sempre, em diferentes instituições, os menores juros disponíveis para financiar. A informação que deve ser levada em conta é o CET – Custo Efetivo Total –, que embute taxas de juros e outros custos acessórios cujo papel é apenas o de confundir o consumidor.
3. Poupem para oferecer entradas maiores nos financiamentos e diminuir o tamanho das dívidas.
4. Evitem arrastar parcelamentos por prazos mais longos do que o estritamente necessário. Quanto mais tempo demoramos a pagar dívidas, mais juros pagamos pelo aluguel do dinheiro.
5. Para pagar em menos tempo, é necessário assumir parcelas mensais mais altas. Atentem, porém, para não correr o risco de não conseguir honrar o compromisso e abrir mão dos pagamentos, pois, via de regra, renegociações de dívidas atrasadas sempre são feitas com juros mais altos do que na negociação original.
6. Evitem assumir múltiplas dívidas ao mesmo tempo. Excesso de parcelamentos torna nosso orçamento menos maleável, expondo-nos mais ao risco de ter que recorrer

a empréstimos emergenciais, como cheque especial e crédito rotativo do cartão de crédito.

7. Não banalizem o crédito. Evitem tomar dinheiro emprestado para pagar aquilo que poderia ser previsto e pago com esforço de poupança, como férias, presentes, acessórios pessoais e renovação da tecnologia doméstica.

O último item dos sete passos merece uma reflexão maior. Não há muito sentido em financiar aquilo que sabemos de antemão que teremos que gastar. Por exemplo, digamos que vocês tenham um automóvel que tenha custado R$ 30 mil. Em geral, as pessoas ficam de três a quatro anos com um automóvel, para então trocar. Estou considerando que, após quatro anos, o mesmo automóvel estará custando R$ 20 mil na venda. Supondo que o padrão de vida esteja estável, ou seja, que a renda não aumentará, vocês sabem que terão que desembolsar no mínimo R$ 10 mil adicionais se quiserem trocar o automóvel por outro de mesmo padrão.

Para acumular R$ 10 mil em quatro anos, o casal teria que reservar R$ 208 mensais sem aplicar esse dinheiro, ou R$ 184 aplicando-os em um investimento que renda 0,5% ao mês. Caso não tomem esse cuidado e decidam esperar a troca do carro para financiar R$ 10 mil em quatro anos, a juros de 2% ao mês, desembolsarão 48 parcelas de R$ 326 – ou seja, R$ 142 (ou 77%) a mais do que a precavida poupança de R$ 184 mensais.

Se, ao longo de 40 anos, o casal trocar de carro 10 vezes e não assumir a responsabilidade de antecipar a acumulação do dinheiro da troca, estará gastando com os financiamentos algo em torno de R$ 68.160 a mais. Em outras palavras, pagará quase 17 trocas para ter apenas 10. Ou, então, desembolsando o mesmo que gastaria com o financiamento, o casal poderia melhorar significativamente o padrão do automóvel, pois, com R$ 326 poupados mensalmente a juros de 0,5%, acumularia em quatro anos R$ 17.636 para a troca de veículo.

Surpreendente, não? Pense no efeito desse raciocínio sobre telefones celulares, televisores e viagens, só para citar os desejos de consumo mais comuns. Obviamente, há uma dificuldade em poupar para renovação de bens quando ainda não quitamos nossa primeira aquisição. Mas que tal fazer um sacrifício maior e, ao menos uma vez, tentar viabilizar tanto a quitação da dívida quanto a poupança para a próxima aquisição?

Quando vale a pena pagar juros I: Projetos que potencializem nossos ganhos

Por mais que a matemática nos dê argumentos para evitar juros, temos que lidar com dois tipos de situações em que o crédito e o consequente pagamento de juros devem ser vistos como oportunidades, e não como problemas:

- projetos pessoais ou de negócios que potencializem nossos ganhos;
- lidar com imprevistos e desejos não planejados e preservar planos maiores.

A primeira situação é quando, ao tomar recursos emprestados, podemos viabilizar *projetos pessoais ou de negócios* que podem aumentar significativamente as oportunidades de ganhos em nossas vidas. Por exemplo, não é razoável financiar uma televisão, que será usada para o lazer, mas o raciocínio muda quando o objeto em questão é um computador. Bem utilizado, ele é fonte de pesquisa, aprendizado e também de renda, pois criar uma loja virtual, por exemplo, pode reforçar os ganhos da família. O cuidado a tomar, aqui, é com o primeiro dos sete passos para pagar menos juros. Evitem adquirir modelos caros que podem ser substituídos por outros menos atuais ou mais simples, para não ter que pagar juros sobre modismos.

Da mesma forma, tomar recursos emprestados para financiar um curso de especialização, uma pós-graduação ou um curso de idiomas para alavancar a carreira tende a ser bom negócio. Para muitos desses cursos, existem linhas de crédito específicas disponíveis nos bancos, geralmente com alguns meses de carência para começar a pagar e com juros baixos para quem comprovar bom desempenho no curso.

Ainda na categoria de projetos que potencializem ganhos, um bom uso do crédito – na verdade, o melhor uso – é alugar dinheiro para tornar viável um novo empreendimento, como uma construção para revender ou o começo de um pequeno negócio. Pensem que, ao alugar dinheiro do banco, vocês criarão uma fonte de renda que pagará essa conta e ainda lhes trará ganhos adicionais. É a essa estratégia que se dá o nome de alavancagem financeira.

O ideal é que, antes de adquirir um computador, inscrever-se em um curso ou empreender, se faça uma análise detalhada desse investimento para certificar-se de que o risco de não obter resultados com a alavancagem seja mínimo. Uma forma simplificada de analisar um investimento é fazer as seguintes perguntas:

– Em quanto tempo conseguiremos recuperar o dinheiro gasto no financiamento?

– É possível pagar o financiamento com os resultados do investimento feito?

– Existe uma forma viável de obter resultados mais rentáveis do que o investimento que pretendemos fazer?

Por exemplo, digamos que um dos membros do casal tenha como objetivo fazer um curso de especialização em sua área profissional, pois seu chefe sinalizou que isso aumenta bastante a probabilidade de ele ser promovido e passar a ganhar mais R$ 500 mensais líquidos. É preciso pagar o curso, mas o casal não quer abrir mão de suas reservas, pois, caso a promoção não saia, ele deixará o emprego atual e batalhará por outro. Precisará dos recursos para manter a rotina familiar enquanto não conseguir uma oportunidade.

Após pesquisar cursos e alternativas de financiamento, o melhor obtido foi:

- Valor do curso: R$ 3 mil, com duração de seis meses, preço já negociado para pagamento à vista.
- Financiamento: juros de 2,5% ao mês, pagos em 18 vezes, com carência de seis meses (prestações começam a incidir após a conclusão do curso) e sem incidência de juros na carência.
- Prestação resultante: R$ 209.
- Enquanto não sair a promoção, o casal arcará com as prestações comprometendo a maior parte de sua verba para o lazer, que atualmente é de R$ 250 mensais (ou seja, o parceiro está assumindo sua parcela de sacrifício nesse projeto da família).

Se o casal não contasse com a verba da família, o sacrifício seria maior, pois teria que cortar algum outro item do orçamento – talvez trocar o carro por um padrão inferior para, na negociação, viabilizar os R$ 3 mil e trocar o financiamento do curso pelo do outro carro.

Fazendo nossa minianálise de investimento, vamos responder às perguntas:

– *Em quanto tempo conseguiremos recuperar o dinheiro gasto no financiamento?* Se a promoção sair imediatamente após o curso, os R$ 500 a mais de renda permitem pagar tranquilamente o financiamento. Se demorar um pouco a acontecer, o casal ficará com o lazer comprometido por alguns meses. Se, lá na frente, perceber que não haverá promoção, é preciso avaliar o mercado e estimar quanto tempo demorará para se recolocar. A reserva para emergências será a fonte de sustento da família, por isso a quitação da dívida não deve ser antecipada. Na dúvida quanto à renda, o melhor é continuar pagando tudo aos poucos, para não esgotar a fonte de segurança.

– *É possível pagar o financiamento com os resultados do investimento feito?* A partir do momento em que sair a promoção, o aumento de renda não só permite pagar tranquilamente as prestações, como também permite melhorar as escolhas de consumo ou de investimentos em R$ 291.

– *Existe uma forma viável de obter resultados mais rentáveis do que através do investimento que pretendemos fazer?* A condição de contar com a especialização para aumentar as chances de promoção foi sugerida pelo chefe e, por isso, essa variável não está sob o controle do casal. Há risco de não ocorrer, portanto seria mais interessante obter algum compromisso formal do chefe, ou então apertar os cintos por alguns meses para reforçar a reserva para emergências e não ter que passar dificuldades na procura por outra oportunidade.

Percebam que esse não é um tipo de decisão fácil, pois implica assumir uma despesa certa (as prestações do financiamento) para ser paga com uma renda incerta (a possibilidade de promoção ou dificuldade em conseguir outro emprego). Esse risco não combina com o comprometimento com um financiamento. Mas o raciocínio mudaria completamente se a possibilidade de aumento de renda fosse bastante segura, como acontece em planos programados de ascensão na carreira ou no funcionalismo público.

Prestação certa não combina com renda incerta.

Casais cuja renda é totalmente baseada em ganhos variáveis devem ter cuidado redobrado ao assumir compromissos fixos, para que seja respeitada a regra acima. Mesmo sendo toda a renda incerta, ao analisar os ganhos durante alguns meses é possível identificar um piso de ganhos que, mesmo nos piores meses, é bem provável que consigam assegurar. Esse será o limite de compromissos fixos que poderão assumir sem colocar em risco sua capacidade de pagar pontualmente.

Outras formas de investimento costumam ter um número maior de variáveis sob nosso controle, o que facilita a decisão pelo financiamento. Por exemplo, se a ideia é captar recursos para construir um imóvel e revender, basta estudar um pouco a realidade do bairro em que se pretende construir e administrar bem a obra. Vejam este exemplo do casal Marlon e Mariane, de Joinville (SC):

- Ao avaliar o mercado com a ajuda de um corretor de imóveis, o casal chegou à conclusão de que uma casa com 100 m^2 podia ser vendida por R$ 200 mil.
- Em conversa com um empreiteiro de confiança, avaliaram que, se comprarem um terreno por R$ 30 mil, gastarão outros R$ 60 mil para construir a casa, ao longo de 12 meses.
- Eles contavam com uma caderneta de poupança de R$ 40 mil, até então considerada a reserva para emergências da família e garantia da faculdade da filha.
- Ao cogitar um financiamento para a obra, não encontram crédito por menos de 2,5% ao mês. Decidiram, então, optar por um caminho mais criativo: vender o carro quitado que possuíam pelo preço de R$ 30 mil e comprar outro financiado e sem entrada, a ser pago em 24 meses, com juros de 1,99% ao mês. Valor das prestações: R$ 1.554.
- Com a venda do carro, compraram o terreno e contrataram a obra imediatamente. Negociaram pagar 20% dos R$ 60 mil

na contratação, mais 40% após seis meses e os 40% restantes no final da obra.

- Como a situação de trabalho do casal estava estável, decidiram contar com a reserva para emergências durante os 12 meses de construção. Ao longo desse tempo, usaram parte da reserva para pagar a primeira parcela da obra (R$ 12 mil) e 12 das 24 prestações de R$ 1.554 (R$ 18.648), totalizando R$ 30.648.
- Na hora de pagar a segunda parcela, ou seja, após seis meses e faltando outros seis para a conclusão do imóvel, perceberam que teriam que esgotar sua reserva para emergências e ainda somar recursos para viabilizar o acerto. Mas, para evitar o risco de ficar sem reserva, negociaram um financiamento específico para obras, arredondando o valor para R$ 50 mil (dos R$ 48 mil a pagar), a juros de 2% ao mês, com carência de seis meses. Na prática, se a obra terminasse no prazo, começariam a pagar a dívida somente depois de pronto o imóvel.
- A obra foi concluída pontualmente, mas surgiram gastos imprevistos que aumentaram seu valor em R$ 10 mil. Esse valor também saiu da reserva para emergências, que praticamente se esgotou.
- Poucos dias antes da conclusão da obra, o casal havia recebido uma proposta de compra por R$ 190 mil. Como a reserva para emergências estava esgotada e eles tinham dois financiamentos a honrar, decidiram não correr riscos e venderam o imóvel.
- Com os R$ 190 mil que receberam, quitaram a dívida do automóvel com um desconto de 5%, totalizando R$ 17.715. Quitaram também o financiamento da obra, pelo qual tiveram que pagar apenas os juros de 2% ao mês durante o período de carência. Valor pago: R$ 56.308.
- O lucro que tiveram na construção foi de R$ 81.692. Pagaram 15% de Imposto de Renda, ou seja, R$ 12.253,80, e ficaram com o saldo final de R$ 69.438,20.

Percebam que, contando com duas estratégias de financiamento, a da obra e a do carro, o casal concluiu seu projeto de construção com R$ 29.438,20 a mais do que tinha inicialmente em sua reserva para emergências – um ganho de 73,6% em um ano, mesmo pagando juros, estourando o orçamento da obra e vendendo o imóvel abaixo do que poderiam vender se tivessem a oportunidade de aguardar um pouco mais. Provavelmente contribuíram para esse resultado o acompanhamento da obra para evitar perdas e a perspicácia de correrem atrás de financiamento na hora certa e de estarem abertos a negociação antes mesmo de o imóvel estar pronto.

Quando vale a pena pagar juros II: Imprevistos e desejos não planejados

Nem sempre nossas decisões envolvem apenas matemática e racionalidade. Existem situações de consumo que não podem ser consideradas exatamente um investimento, mas que, dependendo da situação, podem ser uma oportunidade única de desfrutar de uma experiência ou de marcar um momento importante para a história da pessoa. Os grandes marcos na vida, citados no capítulo anterior, são exemplos dessas situações: casamento, nascimento de um filho, festa de formatura, lua de mel, festa de aniversário de 50 anos, Bodas de Ouro, entre outros.

Essas são situações que podem e devem ser planejadas, mas, talvez por descuido ou por algum imprevisto, muitas pessoas chegam a elas sem ter a condição financeira necessária para custeá-las. Nesse caso, a primeira iniciativa deve ser usar a criatividade e simplificar o estilo da experiência ou da comemoração. É improvável que as pessoas simplesmente deixem de viver ou de celebrar momentos importantes caso possam contar com crédito à sua disposição.

Digamos que vocês se deparem com um grande sonho ou momento a desfrutar e tenham que recorrer ao banco para pedir um empréstimo. O checklist a ser seguido para que o custo da experiência seja minimizado é o seguinte:

1. Barganhar com fornecedores os melhores preços que podem ser obtidos.
2. Pesquisar alternativas de crédito em diferentes instituições, comparando o Custo Efetivo Total (CET) de cada uma.
3. Assumir prestações que possam ser encaixadas no orçamento dos próximos meses, para que um sonho realizado hoje não se transforme em um pesadelo fora de controle daqui a algum tempo.
4. Uma vez definido o financiamento ou empréstimo que será assumido, somar o valor de todos os custos e prestações do financiamento e comparar esse valor total com quanto vocês teriam que ter poupado nos últimos meses para que o sonho fosse pago à vista.[1]

IMPREVISTO FINANCIADO		USO DA RESERVA PARA EMERGÊNCIAS
Taxas de abertura de crédito		
+ Outros custos obrigatórios		
+ Valor da prestação 1		Preço de tabela
+ Valor da prestação 2		(-) Desconto para pagar à vista
+ Valor da prestação 3		
.		
.		
.		= Preço à vista
+ Valor da prestação final		(-) Juros ganhos com a aplicação
= Custo total financiado	X	**= Valor poupado para o imprevisto**

[1] Para calcular o resultado de um esforço de poupança, use a Simulação de Poupança disponível no site http://www.maisdinheiro.com.br, no link Simuladores.

A conta a ser feita no item 4 do checklist é importante para que vocês se eduquem financeiramente, pois a diferença entre o valor à vista e o financiado é o preço que vocês estarão pagando pela falta de planejamento ou de consciência financeira. Além disso, recomendo que o casal inicie um período de sacrifícios, ou seja, de contenção de gastos, para tornar viável o quinto item do checklist:

5. Já que vocês tiveram que pagar um preço pela indisciplina financeira, recuperem esse dinheiro perdido contando com um pouquinho de disciplina. Poupem durante alguns meses até acumular o custo do financiamento (isto é, o resultado da conta feita no item 4). Ao chegar a esse valor, premiem-se com algo que reforce a celebração paga com dinheiro alugado. Façam um álbum ou scrapbook de lembranças, comprem uma joia, saiam para jantar ou em uma viagem a dois – apenas para celebrar a recuperação de um gasto que poderia ter sido evitado.

Esse último item trata a relação com o crédito de maneira um tanto simbólica. Mas, acreditem, é um interessante exercício mental para que vocês adquiram cada vez mais disciplina financeira e realizem mais sonhos.

Vejam um exemplo desse processo de financiar um marco histórico, acompanhando a sugestão que dei em resposta a um dos e-mails que recebi:

Com seus livros, adquiri o hábito de poupar para realizar grandes sonhos na vida. Estou quase quitando o financiamento de minha casa própria e já estou poupando para trocar de moradia em 10 anos, sem precisar de financiamento.

Também estou contribuindo regularmente para um plano de previdência, que irá me garantir uma boa renda daqui a 15 anos. Eu e minha esposa poupamos 5% de nossa renda para as férias uma vez ao ano, e neste momento temos o saldo de R$ 800. Porém, recebi um convite de meus antigos colegas de faculdade, convidando a mim e minha esposa para participarmos de uma festa em um cruzeiro de três dias para celebrar meus 30 anos de formatura. O preço da festa é R$ 2 mil para o casal, pagamento à vista. Gostaria muito de ir, pois não vejo muitas dessas pessoas há 30 anos. Temos dois caminhos: deixar de pagar a previdência por seis meses e cancelar nossa próxima viagem de férias – que já estava marcada – ou tomar um empréstimo consignado no banco, assumindo 10 prestações de R$ 215,72. O que é melhor?

Minha resposta: Quebrar a disciplina da previdência, nem pensar. Isso pode se tornar um vício e seu futuro, que hoje está seguro, pode se tornar apenas uma hipótese. Continue pagando e não mexa na reserva já feita. Em relação às férias, acredito que elas são um importante ritual de recompensa que vocês conseguiram criar anualmente. Se tiverem outros gastos de lazer para cortar, como jantares e atividades culturais, é daí que deve sair o valor a pagar pelo empréstimo nos próximos 10 meses. Substituam-nos por formas caseiras de lazer. Se não tiverem o que cortar, paciência: resgatem o valor acumulado e tomem emprestado um valor menor. Vocês terão que quebrar o ritual das férias neste ano e provavelmente no próximo também para viabilizar o cruzeiro. De qualquer forma, se quiserem preservar as férias, a viagem de R$ 2 mil sairá por R$ 2.157,20. Esses R$ 157,20, na minha opinião, são um preço relativamente baixo para alguém que não conseguiu poupar para imprevistos poder concretizar um sonho importante.

Percebam que o crédito, quando usado conscientemente, é tanto um meio de construir riqueza quanto de preservá-la. Porém, o uso do crédito sem que esteja associado a alguma forma de poupança raramente agregará valor à vida do casal. Será apenas um custo a mais no orçamento. Evitem-no, portanto, na medida do possível. Prefiram a estratégia de adotar uma vida mais simples e poupar para conquistar seus sonhos e objetivos de maior valor. Isso não só os levará a reduzir gastos desnecessários (com juros), como também reforçará seu relacionamento bancário e proporcionará linhas de crédito de maior valor e taxas menores para quando o dinheiro do banco for realmente oportuno em suas vidas.

7

Aposentadoria? Para que pressa?

"O errado não é a criação de riqueza, mas o amor ao dinheiro por si só."

MARGARET THATCHER, a "Dama de Ferro", ex-primeira-ministra britânica

Qual o caminho que vocês escolheram para alcançar a aposentadoria? Trabalhar, trabalhar e trabalhar, para pagar contas e mais contas, sonhando com uma aposentadoria que não vai dar muito certo? Afinal, estamos deixando para desfrutar nela a maior parte das riquezas não materiais que estamos perdendo hoje: saúde, inteligência, disposição, amizades sinceras. Sugiro mudar o roteiro que muitos estão seguindo, provavelmente sem consciência do potencial de arrependimento no futuro.

Aposentar-se, no sentido de deixar de trabalhar, pode não dar mais certo para o casal de hoje. À medida que a sociedade brasileira diminui a desigualdade de renda e melhora o padrão de vida de sua população, o envelhecimento demanda cada vez mais dinheiro para preservar a qualidade de vida e atender às necessidades dos mais velhos.

Além da saúde, passam a pesar nos planos a verba para o lazer, para manter uma rotina social ativa e para corresponder ao crescimento da rede de relacionamentos. Quanto mais idade tivermos, mais parentes estarão em nossa agenda de telefone, e teremos interesse em participar de aniversários, batizados, casamentos e afins de cada um deles, de preferência trajando-nos e presenteando adequadamente.

E, principalmente, se o casal soube investir na relação ao longo da vida, deve incluir na lista de gastos desejados a verba para o namoro, para quebrar a rotina, fazer aquela surpresa, continuar realizando sonhos. Por que não?

Casais que não percebem que seu custo de vida só tende a evoluir – em especial se querem envelhecer com mais do que apenas dignidade – estão correndo basicamente dois sérios riscos: o de morrer trabalhando, por nunca conseguir se aposentar com um estilo de vida satisfatório, e o de privar-se daquilo que alimenta sua felicidade por falta de oportunidades de trabalho ou dificuldade para continuar produzindo como antes.

A solução para esse dilema vocês já conhecem: é poupar. Porém, antes de fechar este livro e jogá-lo na pilha de doações, peço paciência para que leiam um pouco mais sobre uma ótima notícia:

Talvez não seja preciso ter pressa para se aposentar. Em outras palavras, talvez vocês precisem poupar menos do que imaginam.

Um futuro rico não depende necessariamente de poupar demais para garantir uma realidade que pode não acontecer. O segredo para uma vida rica está em conquistar sua independência financeira a certa altura da vida, dentro de um padrão compatível com aquele momento, para poder continuar trabalhando não por necessidade, e sim por prazer. Isso fará com que o trabalho deixe de ser um fardo em suas vidas, o que proporcionará uma interessante oportunidade ao casal: trabalhar até o fim de suas vidas, ou até quando tiverem interesse, para que possam incrementar seu estilo de vida enquanto for preciso.

Pareceu-lhes um tanto utópica minha reflexão? Então vamos à minha sugestão de um roteiro estratégico a seguir para que o crescimento na carreira seja acompanhado de um crescimento na riqueza material e sentimental do casal.

Carreira: um projeto do casal

Vocês já perceberam que o profissional moderno trabalha hoje pela carreira, pelo "mercado", mas parece esquecer que os maiores interessados em seu sucesso não são seu empregador nem o mercado, e sim sua família? As pessoas que mais querem o bem do trabalhador abrem mão de sua companhia, de seu papel de pai ou mãe, marido ou esposa, para que se possa ganhar o pão de cada dia, visando à suposta construção de uma vida melhor.

Na verdade, a ascensão na carreira envolve regras tão complexas que exigem do trabalhador uma série de preocupações que vão muito além do conhecimento técnico de sua área profissional. Entre elas estão o networking, a ética, a política, a diplomacia, a moda, a educação continuada, as celebrações de fim de ano, a concorrência, a fofoca, o domínio de idiomas, a organização pessoal, enfim, uma série de elementos que, combinados, determinam a imagem do profissional e definem sua capacidade de evoluir ou sua estagnação.

Manter-se antenado a essas variáveis exige um envolvimento profundo, que aumenta à medida que vamos dominando o conhecimento sobre nossa atividade profissional. Quanto mais nos envolvemos, mais assumimos as rédeas da carreira, porém mais nos distanciamos da nossa vida pessoal. Profissionais antenados e em franco processo de crescimento costumam ter pouco tempo para si e para a família. De tão valorizado pela sociedade, o trabalho passou a ser desculpa razoável para a falta de tempo, de carinho, de relacionamento, de sexo e de autorrealização.

Entretanto, não se pode esquecer que a vida não é o mesmo que a carreira. Não vivemos para trabalhar, mas trabalhamos para viver. O dito popular e o bom senso rezam isso, mas a prática vai por outro caminho. Nossa família ocupa, ou deveria ocupar, um espaço muito mais importante em nossa vida do que o trabalho. A família é nossa principal referência, nos guia até que comecemos a trabalhar e é nosso ninho após a aposentadoria. Quem tem planos para desfrutar de vários anos de aposentadoria precisa perceber que desfrutar da família deve ser o principal objetivo de qualquer plano de vida.

Não importa se a família tem laços sanguíneos ou não. Pode ser que seus planos de aposentadoria envolvam uma aproximação maior de sua comunidade ou sua tribo, de seu estado ou país de origem, do clube onde desfruta do lazer ou de qualquer referência que envolva elementos familiares e queridos a vocês. Mas, independentemente de qual seja o sentido de família para vocês, o fato é que, se são casados, seu parceiro estará totalmente envolvido nessa reaproximação.

Por isso entendo a carreira não como o plano principal de nossa vida, mas apenas como uma fase intermediária, em que aproveitamos a oportunidade de vender nosso tempo e nosso conhecimento para garantir o desfrute da próxima fase da vida com mais tranquilidade e segurança. Por essa interpretação, defendo que o foco quase que total no trabalho, se fizer parte dos planos da vida de um dos membros do casal, ou mesmo de ambos, deve durar o menor tempo possível, apenas o suficiente para sustentar seu crescimento.

Não se trata aqui de uma defesa do ócio, da vida sem trabalho. O ócio é bom, mas não é viável para quem não tem independência financeira. O ponto a que quero chegar é que, por mais que o trabalho nos consuma, temos que nos esforçar para não perder de vista nossos principais objetivos. Precisamos nos desapegar dos laços de comodismo que o trabalho e a rotina impõem. E, nesse sentido, ninguém melhor para nos ajudar do que a pessoa que escolhemos para ter ao lado nessa jornada.

A carreira não deve ser pensada ou planejada como um projeto do indivíduo, mas como um projeto do casal. E esse projeto não pode, de maneira alguma, ser dissociado dos planos de construção de riqueza de ambos, pois a carreira nada mais é do que um meio de adquirir nossa independência financeira. A realização pessoal é o combustível para alimentarmos esse projeto, mas não esqueçam: sua realização não pode acabar juntamente com o fim da carreira.

Ao trabalhar, devemos explorar uma relação de dependência do emprego – sem ele, não conseguimos nos sustentar – para acumular riqueza que nos permita, dentro de um certo prazo, decidir se queremos ou não continuar transformando o mundo à nossa volta como empregados ou de qualquer outra maneira que nossa criatividade permitir.

Nesse sentido, trago aqui uma reflexão de como a carreira deve influenciar a vida do casal e também de como o relacionamento deve influenciar a carreira. Vamos a ela.

Construção da independência financeira em sua carreira

O enriquecimento não é construído de maneira uniforme ao longo da carreira. Existem fases em que estamos inseguros ou nos sentimos menos preparados, outras em que o conhecimento nos torna mais audaciosos e também aquelas em que decidimos mudar ou nos conformamos para sempre com o que conquistamos.

Podemos identificar ao menos as seguintes fases na construção de riqueza pessoal:

1. **Aquisição de conhecimento por meio da educação.** É a fase em que nos dedicamos à aquisição formal de conhecimento visando nos diferenciar no mercado de trabalho e aumentar nossa empregabilidade. Essa fase vai da escolha da profissão, ao optar por uma área já no vestibular, até a conclusão de cursos de especialização e pós-graduação, passando também pelo aprendizado de idiomas.
2. **Aprendizado profissional.** Acontece ao experimentarmos as teorias aprendidas em cursos acadêmicos, atuando em áreas diferentes para aquisição de experiência e raramente desempenhando atividades que nos tragam satisfação e realização pessoal. Tipicamente, é quando atuamos como aprendizes, estagiários, trainees, auxiliares, temporários e em atividades rotativas, geralmente com a sensação de sermos mal remunerados.
3. **Emprego formal.** A partir do momento em que temos como comprovar experiência, passamos a focar nossas opções de trabalho naquilo que sabemos fazer melhor ou que nos traz maior sentimento de segurança ou de realização. A busca pelo emprego, nessa fase, inclui a negociação de maior remuneração e benefícios em troca de nosso tempo, conhecimento e networking, e também como compensação pela expectativa de dedicação crescente ao empregador. É nessa fase que mais se cobra do profissional o sentimento de vestir a camisa da empresa – ou seja, acima de tudo, dedicação incondicional.

4. **Emprego estável.** A experiência na mesma área e/ou em mais de uma organização agrega valor ao profissional, que passa a se sentir cada vez mais seguro quanto a sua atividade e sua renda, pois seu currículo o credencia para disputar vagas em outras organizações caso o emprego atual não se mostre mais viável. É nessa fase que, normalmente, muitas das decisões de vida com grande impacto financeiro são tomadas: casamento, filhos e casa própria. A opção pelo concurso público é uma maneira de formalizar essa fase na carreira, muitas vezes pulando algumas das etapas anteriores.
5. **Empresário atuante.** É quando a opção pelo emprego deixa de ser atraente ao profissional e ele parte para uma escolha de maior risco e responsabilidade, mas também com maior liberdade e possibilidade de fazer evoluir seu patrimônio: montar seu próprio negócio. Profissionais liberais, autônomos e franqueados encontram-se nessa fase. Ela não pode, porém, ser considerada garantia de independência financeira quando, para obter a renda, a atividade ou empresa depende essencialmente do envolvimento do profissional no dia a dia do negócio. Se há algum tipo de liberdade, é de escolha dos rumos a tomar.
6. **Empresário investidor.** Uma vez que a atividade ou empresa adquire estabilidade e previsibilidade, é possível que seu proprietário delegue suas responsabilidades a um gerente a fim de se dedicar a outras atividades profissionais. Aqui fica caracterizada a independência financeira, mesmo que parcial, pois a renda é obtida sem a participação direta do trabalho de seu sócio-investidor. É o caso de profissionais de biomédicas que passam a terceirizar sua clínica ou sua marca, ou de empresários que passam a limitar sua atuação à de conselheiro do negócio.

7. **Investidor.** Se o papel da pessoa se limita a investir em negócios, empreitadas ou ativos que possam ser revendidos com lucro, sem sua interferência cotidiana nas operações desses negócios, ela deixa de ser um empresário. A renda passa a vir de lucro sobre o capital investido, e não da dedicação a uma rotina de trabalho. Quando é possível viver exclusivamente da atividade de investidor, diz-se que a pessoa alcançou a independência financeira plena.

Reparem que nem todos percorrerão todas as fases para conquistar a independência financeira. Quem vem de família com grandes posses já pode iniciar sua vida como investidor, enquanto alguns podem preferir percorrer um caminho de realização pessoal como empregados por alguns anos, mesmo contando com um bom patrimônio. Há também quem invista no preparo para concursos públicos para adquirir estabilidade e tranquilidade desde cedo.

E há ainda quem simplesmente não busque a independência financeira, entendendo que a combinação de uma carreira bem-sucedida com um bom plano de previdência são suficientes. De qualquer forma, nesse último caso, em algum momento a pessoa precisará assumir o papel de investidor, ao ter que administrar o patrimônio formado por meio da previdência. O ideal é que o patrimônio formado seja suficiente para administrar a aposentadoria por muitos anos, o que exigirá grande esforço de poupança durante a carreira e um padrão de vida bastante controlado na aposentadoria.

O papel de cada um na carreira dos dois

A construção da carreira está relacionada com a construção do patrimônio, mas não é a mesma coisa. Enquanto o patrimônio é planejado para ser desfrutado em família, a carreira costuma ser, equivocadamente, planejada para ser uma conquista pessoal. É aqui que está um dos maiores erros dos casais, motivo de um grande número de divórcios.

Vocês decidiram formar uma vida a dois. Vão trabalhar para, em algum momento, intensificar o convívio. Por que motivo, então, a carreira seria fruto de um planejamento individual? E, pior ainda, o que dizer dos relacionamentos em que o casal disputa entre si condições para a carreira crescer, como se o outro fosse um grande obstáculo a superar?

É aqui que a discussão sobre o papel do parceiro na nossa carreira merece aprofundamento. Esse papel precisa ser bem maior do que normalmente observamos nas famílias. O casal terá um caminho muito mais prazeroso na construção da independência financeira se a atitude de parceria se estender às questões profissionais. Vejam minhas sugestões, considerando etapas que nitidamente podem ser identificadas nas finanças de todo casal:

1. Formação profissional

Para alguns, é o período de faculdade ou pós-graduação, ou mesmo um ano para mergulhar no aperfeiçoamento de um idioma. Para outros, é quando se decide encarar um vestibular ou a preparação para um concurso público ou algo similar. É uma fase de estresse e sacrifícios, principalmente de agenda. Conciliar trabalho, estudos, cuidados pessoais, vida social e ainda lapidar um relacionamento é um desafio e tanto. Se o parceiro não souber segurar a onda e tolerar as reações do outro ao estresse físico e emocional, o relacionamento tende a ficar abalado.

O ideal é que o parceiro também aproveite o período de formação do outro para inscrever-se em cursos de atualização profissional e aprendizado em sua área. Com ambos estudando e ocupando seu tempo com aprendizado, não haverá ninguém com o sentimento de ausência do outro em razão da carreira, e o contato pode se intensificar e ganhar qualidade com rotinas de estudos a dois ou períodos maiores de ausência para que ambos se dediquem a finalizar seus estudos.

Se a opção do casal foi por um dos dois não trabalhar, essa pode ser a oportunidade de o parceiro começar a estudar e preparar o terreno para uma fase futura do enriquecimento. Quem sabe, fazer um curso sobre empreendedorismo, estudar uma franquia ou mesmo uma especialização em outro estado ou no exterior, que lhes proporcione uma experiência de vida? Se ambos jogarem o mesmo jogo, esse período de dedicação intensa à carreira pode ser extremamente construtivo e gratificante.

Um dos dois está precisando investir na carreira? Que tal apertar os cintos e, com uma mudança radical no estilo de vida, optar por mudar a vida de ambos e, melhor ainda, juntos?

2. Diferenciação profissional

Você estudou e ralou para conquistar seu lugar ao sol, e conseguiu. Mas, ao começar a trabalhar na atividade dos sonhos, percebe que, para se manter e crescer nela, terá que se entregar a uma interminável rotina de networking, viagens, semanas longe de casa, dedicação de final de semana e madrugadas à empresa ou à profissão.

Esse é o momento em que o casal precisa fazer uma importante reflexão a dois sobre as seguintes questões:

- Por quanto tempo se dará o sacrifício do relacionamento em razão da carreira de um dos dois?
- A carreira do outro também exigirá esse tipo de dedicação em algum momento? Nesse caso, há como fazer com que essas fases ocorram simultaneamente, ou quase, e estabelecer um

prazo para colher resultados, ou então dar um passo atrás para o bem da saúde de ambos e da relação?

- Se um dos dois interromper sua carreira, mesmo que provisoriamente, há como dar suporte à carreira do outro sem comprometer ou até melhorando a renda familiar?
- O casal poupará o suficiente para, caso a dedicação não renda os resultados financeiros esperados, conseguir abandonar esse caminho da carreira e batalhar pela construção de outros caminhos?

Normalmente, a superdedicação ao trabalho não é uma escolha do profissional, ao menos no início dessa fase. Ela é fruto da insegurança e do temor de não ter outro caminho para crescer. É nesse momento que o apoio do parceiro faz toda a diferença, não só aumentando a segurança, mas também dispondo-se a ajustar o padrão de vida caso algo ocorra fora das expectativas e seja preciso dar um passo atrás.

Quando essa parceria não acontece, a construção da carreira torna-se um grande desafio pessoal e o parceiro é visto como obstáculo. Não raro, o profissional torna-se mais ansioso, tende a esconder o jogo em períodos de dificuldades e, se o relacionamento sobreviver, o preço tende a ser pago com a perda da saúde.

3. Estabilidade

O sacrifício tende a ser recompensado com o crescimento na carreira, o que normalmente vem acompanhado de maior controle da agenda, porém com nível maior de estresse. Ao contrário do que mostra a prática, ao assumir posições mais estáveis e importantes, não é necessário manter o mesmo nível de dedicação ao trabalho, pois o crescimento nos traz mais responsabilidade, autonomia e possibilidades de delegar. Porém, o que acontece com a maioria das pessoas é que o sacrifício pelo trabalho se torna um vício. Adaptamo-nos ao ritmo de trabalho estressante e aprendemos a viver com ele.

O risco maior é também se adaptar a uma rotina de ausência do companheiro, da família, da vida. Isso faz com que não encontremos mais recompensas no relacionamento e que elas sejam encontradas apenas no trabalho. Tornamo-nos autômatos trabalhando incansavelmente por dinheiro, usando as raras horas livres para encontrar maneiras recompensadoras de gastar o dinheiro ganho. Se o relacionamento sobreviver, será por comodidade e hipocrisia.

Essa é a fase em que o papel do parceiro é o de despertar seu companheiro para a realidade. Devem partir dele sugestões de atividades de lazer e descanso, planos de férias e aquela conversa sobre felicidade e sonhos. É o momento de começar a planejar os próximos passos na construção de riqueza, contando também com a possibilidade de abandonar a carreira, caso ela não os abandone antes.

Quanto mais relevante e bem remunerado for o trabalho de um dos dois nessa fase, mais interessante é que o parceiro adote uma postura de gerente do lar e comece a conduzir os planos para a aposentadoria, a fim de criar um projeto caso a carreira do outro seja interrompida. Isso não significa que o parceiro deva abandonar sua profissão, mas que deve saber conciliá-la com o papel de suporte a uma fase importante na garantia da independência financeira do casal.

4. Transição para a independência financeira

À medida que se aproxima a aposentadoria ou a independência financeira, o mais importante é discutir conjuntamente planos sobre como lidar com uma vida menos previsível e que deixará de contar com a rotina e o amparo de um empregador. Não importa se o objetivo é simplesmente parar de trabalhar e viver de renda ou se é montar um negócio próprio. Nessa fase, inevitável e independentemente do rumo que cada um deu a sua carreira, o casal terá que passar a trabalhar em conjunto.

Se decidirem montar um negócio, passarão a ser uma família empresária, mesmo que apenas um dos dois se dedique a ele, pois o começo de qualquer negócio requer dedicação total. Isso acaba envolvendo a família direta ou indiretamente, como nas primeiras duas fases de sacrifício. Então, nada mais adequado do que a família assumir esse papel de apoio e colaboração formalmente.

Se a opção for por deixar de trabalhar e curtir a aposentadoria, a simples missão de preservar o patrimônio e a renda exigirá sintonia e conversas frequentes entre o casal, para que ambos estejam preparados para lidar com imprevistos e fazer ajustes nos planos de tempos em tempos. É preciso ter na manga alguns planos B, como a possibilidade de voltar a trabalhar ou de iniciar pequenos negócios caso ocorra algum desequilíbrio. Para que isso funcione, cada um deve ter consciência de qual atividade remunerada poderia desempenhar, ou ao menos de qual conhecimento deve adquirir em breve para viabilizar uma dessas atividades. Importantes decisões de investimentos precisarão ser tomadas e, se não houver cumplicidade e sintonia nas escolhas, o patrimônio conquistado em anos de carreira pode se perder em um investimento malfeito. O ideal é que tenham cultivado essa cumplicidade ao longo de toda sua história juntos.

5. Independência financeira

A independência financeira estará assegurada quando o patrimônio construído pelo casal for suficiente para mantê-lo no momento atual e também ao longo de sua vida, já contando com margem para o esperado aumento de gastos, mesmo que seus membros vivam 120 anos. Pouco muda no papel do casal em relação à situação anterior, a não ser pelo fato de que estarão em uma condição mais segura e terão a liberdade de escolher trabalhar, se desejarem e gostarem do que fazem, ou de simplesmente administrar os investimentos para não deixar de ter a renda que foi planejada.

Nesse caso, se optarem por trabalhar, cada centavo obtido com o trabalho deverá ser tratado como uma contribuição para o patrimônio (não para o orçamento). O dinheiro que é agregado ao patrimônio se transforma em rendimento, e é sobre esse rendimento a mais que novas decisões de consumo podem ser tomadas, para que sejam sustentáveis. Se, por outro lado, utilizassem o dinheiro ganho com o trabalho para somar ao orçamento e consumir, estariam cultivando hábitos de consumo que dependeriam do trabalho para serem mantidos, o que quebraria a situação de independência e traria riscos ao orçamento do casal.

Nessa etapa, o papel de cada um é zelar pela disciplina e pela preservação do equilíbrio. Se acontecer um imprevisto ou um pequeno exagero em uma situação especial, ambos devem dar as mãos para fazer sacrifícios que permitam recuperar o equilíbrio. Como estarão lidando com um patrimônio volumoso, terão que aprender cada vez mais sobre investimentos e sobre a matemática dos juros, da inflação e da preservação de seus planos. Nada mais justo que se dividam nesse papel ou, se ambos realmente curtem o tema, que façam do gerenciamento de sua fortuna um trabalho a dois pelo resto de suas vidas.

Reparem que, nas quatro primeiras etapas citadas acima, sugeri que o companheiro deve ter um papel de suporte na carreira. Cuidado para não interpretar isso como uma recomendação de submissão ou de devoção à carreira do outro.

Ao elencar essas fases, meu objetivo foi descrever a carreira como um projeto com começo, meio e fim. E esse fim tem que acontecer antes do final de nossas vidas, para que aproveitemos a possibilidade de desfrutar dela sem precisarmos negociar tempo da agenda para diferentes atividades, como acontece nas fases de construção da riqueza. Porém, as carreiras de cada um dos membros do casal pode seguir por caminhos totalmente diferentes ou estar em etapas diferentes – por exemplo, um começando a desfrutar quando o outro começa o sacrifício –, o que pode gerar conflito. Não há como se concentrar no sacrifício quando o ambiente de casa é de desfrute. E não há como desfrutar se não temos nosso parceiro para compartilhar o momento.

Daí que, para que a construção saudável da carreira aconteça, os parceiros devem estabelecer um ritmo do casal, não dos indivíduos. As duas carreiras devem seguir caminhos e tempos semelhantes. Se isso não for possível, há duas soluções: ambos abraçam um projeto de fomentar uma das carreiras, deixando em segundo plano ou até abandonando a carreira do outro, ou então partem em busca de um negócio próprio para construir essa sintonia. Fora essas hipóteses, o casal terá dificuldade de construir e comemorar o sucesso como se fosse dos dois. Sobreviverá? Talvez, se houver uma alta dose de boa vontade.

Quanto poupar, afinal?

Fiz questão de descrever a possibilidade de independência financeira como parte do projeto que todo casal deveria conduzir, pois é muito gratificante ter a possibilidade de trabalhar apenas pela realização pessoal, sem a pressão da necessidade de ganhos para nos manter.

Porém, ao discutir a relação entre as fases da construção de riqueza e as etapas da carreira, espero ter deixado claro que o sacrifício é parte da construção da independência. Cabe questionar: quanto sacrifício fazer?

A resposta é simples: depende de quanto tempo vocês estão dispostos a esperar para colher os resultados.

Há pessoas que amam o que fazem profissionalmente. Esse amor não tem sentido se não for compartilhado e reconhecido pelo parceiro. É fundamental que um trabalho apaixonante permita que o casal continue construindo seus sonhos e se orgulhando disso. Para essas pessoas, não há pressa em construir a independência financeira. Basta que estejam gastando seu dinheiro de maneira prazerosa, saudável e sustentável hoje, poupando o mínimo necessário para manter o padrão de consumo independentemente de quanto tempo viverem. Vejam este exemplo:

– Ele: professor de música, 29 anos.

– Ela: professora de inglês, 29 anos.

– Renda do casal: R$ 3 mil mensais aproximadamente.

– Ambos viajam juntos nas férias escolares, gastam 15% da renda com lazer e têm planos de ter um filho.

– Amam o que fazem, estão poupando para fazer especializações e fortalecer o currículo.

– Poupam R$ 150 por mês (5% da renda) em um plano de previdência cuja carteira é de 70% em renda fixa e 30% em ações. Na última avaliação com o corretor de seguros, foi feita uma projeção de ganho real de 6% ao ano, em média.

– Se mantiverem o ritmo de poupança, alcançarão a independência financeira aos 77 anos.

A meta do casal é distante para os padrões de nossa sociedade, mas bastante aceitável para quem ama o que faz, atua em uma área que independe da idade para o desempenho da função ou tem planos de migrar para consultorias e aulas após encerrar suas atividades em uma área que exija mais disposição.

É uma situação bem diferente da realidade de quem vive sob estresse intenso no trabalho e não vê a hora de chegar ao fim dessa etapa na carreira. Veja o exemplo a seguir:

– Ele: técnico de petróleo, trabalha embarcado em plataforma no regime 15/15 (15 dias de trabalho direto e 15 dias de descanso em casa), 27 anos.

– Ela: abriu mão da carreira para cuidar dos filhos e acompanhá-lo nas folgas, 25 anos.

– Renda do casal: R$ 8 mil mensais aproximadamente.

– Reclamam de falta de qualidade de vida, solidão e falta de ânimo para aproveitar o tempo livre.

– Pretendem se aposentar quanto antes.

– Investem R$ 4.500 por mês (56% da renda) em títulos públicos pós-fixados, cujo ganho real está estimado em 5% ao ano. O saldo poupado, hoje, é de R$ 30 mil.

– A meta é continuarem nesse ritmo durante mais oito anos, quando terão acumulado cerca de R$ 575 mil. Os planos são de montar um negócio próprio (franquia) com R$ 350 mil e manter os outros RS 225 mil reservados para segurança e para construir a independência financeira total. Esperam ter um filho quando o negócio próprio engrenar.

São duas situações bastante diferentes, mas que mostram a lucidez dos planos de cada casal diante de suas escolhas de carreira. Quanto mais satisfeitos estiverem com a rotina, menor deve ser o esforço de formar uma poupança. Quanto mais desejam mudar a realidade, maior deve ser a poupança, para que tenham liberdade de escolha quanto antes. O desafio, nesse último caso, será manter um padrão de vida bem abaixo do que mantêm os colegas de trabalho. Sejam, portanto, criativos.

Casamento: na prática, um grande negócio

Dedicar-se ao conhecimento para ser mais competitivo na carreira. Durante um prazo planejado, sacrificar-se com dedicação acima da média ao trabalho, contando com o apoio, o carinho e a condução da estratégia de quem amamos. Poupar com objetivos bem claros a alcançar na vida e na carreira, para então passar a ter maior liberdade de escolha, talvez até liberdade total. Daí para a frente, começar a praticar novos planos, fazendo o que o casal realmente gosta na vida e no trabalho, para sempre.

Nada mau esse roteiro de carreira, não? O que chega a parecer um conto de fadas não está tão longe da realidade, desde que os casais se proponham a praticar esse roteiro e não percam o foco no real objetivo do trabalho: criar os meios para não precisar mais trabalhar ou para trabalhar apenas por prazer e realização pessoal.

Como estamos tratando de um grande projeto de vida que, por ser de longo prazo, não permite voltar atrás caso dê errado, é interessante adotar algumas práticas que, juntas e com o passar dos anos, tornarão esse projeto cada vez mais consistente, previsível e seguro. São elas:

- Tenham um orçamento flexível, preferindo gastos variáveis e com qualidade de vida em vez de gastos fixos.
- Antes de investir, pesquisem bastante para identificar produtos ou instituições mais eficientes. Depois de investir, continuem pesquisando. No longo prazo, pequenas diferenças de custo ou rentabilidade fazem uma enorme diferença no bolso.
- No começo, concentrem investimentos em apenas uma ou duas modalidades, para dedicar menos tempo para se manter informados e também para diminuir o custo de investir. Títulos públicos e previdência são um bom começo.
- Quando as reservas financeiras crescerem acima de R$ 50 mil, comecem a diversificar investimentos, para que eventuais problemas em uma aplicação não afetem todo o patrimônio.
- Pensem em criar rendas passivas, aquelas que são obtidas sem que tenhamos que trabalhar por elas. Alguns exemplos

são pequenos imóveis para aluguel, criar sites de comércio eletrônico, manter um blog para obter renda de publicidade, escrever um livro em sua área de conhecimento, adquirir cotas de fundos imobiliários e fazer compras e vendas com lucro em leilões virtuais, entre outros.

- Enquanto investem, acompanhem sempre o rendimento total de seus investimentos. Comparar a evolução desse rendimento com os gastos da família é um interessante exercício de motivação, pois, com boas escolhas de investimento e um bocado de disciplina, cada mês a mais de recursos poupados significará um pequeno aumento na renda independente da família. Cada dia mais perto, um dia vocês chegarão lá.

Compreensão, carinho e paciência: elementos importantes no relacionamento que, quando combinados com conversas sobre dinheiro, certamente tornarão o assunto menos espinhoso e mais fácil de conduzir.

8

Que dê certo mesmo quando não dá certo

Que seja eterno enquanto dure

You got a fast car	Você tem um carro veloz
And I got a job that pays all our bills	E eu tenho um emprego que paga nossas contas
You stay out drinking late at the bar	Você fica até tarde na rua, bebendo no bar
See more of your friends than you do of your kids	Vê mais os seus amigos do que os seus filhos
I'd always hoped for better	Eu sempre torci pelo melhor
Thought maybe together you and me would find it	Pensei que, juntos, eu e você encontraríamos um caminho
I got no plans I ain't going nowhere	Não tenho planos e não vou a lugar nenhum
So take your fast car and keep on driving	Então pegue o seu carro veloz e continue dirigindo

TRECHO DA MÚSICA "FAST CAR", DE TRACY CHAPMAN – 1988

Algumas coisas vão dar errado, podem apostar. Não que eu queira rogar uma praga sobre os planos de vocês, mas a essência da vida é lidar com imprevistos. Todos os dias centenas de imprevistos acontecem em nossa vida. Do leite derramado no café da manhã à mudança repentina do clima, do resfriado bem no dia da reunião à falta de energia na hora do jogo, viver é se ajustar às mudanças.

Pessoas precavidas são menos impactadas pelos imprevistos, pois possuem seguros, estepes, amigos para pedir auxílio ou um livro do tipo *Sebastiana Quebra-galho* em casa. Pessoas flexíveis, por outro lado, sofrem menos com problemas, pois sabem que eles podem acontecer, mesmo que não sejam tão precavidas. E pessoas organizadas simplesmente contornam os problemas, talvez porque saem mais cedo para o compromisso, deixam folga para imprevistos na agenda ou ainda porque estão preparadas para cancelar um plano.

Planejar não envolve apenas garantir que nossos sonhos aconteçam, mas também controlar os planos para identificar, o quanto antes, a hora de tirar o time de campo e desistir da vitória. Não é questão de conformar-se com o fracasso, mas de minimizar perdas e preservar nossa capacidade de recomeçar.

É bom falar de coisas ruins

Mesmo que ambos trabalhem em empresas diferentes, tenham carreiras sólidas e boas perspectivas quanto ao futuro, todo casal deveria ter um plano B que incluísse dar as mãos para tocar uma vida diferente, ainda que seja na aposentadoria, caso algo não saia como o planejado.

Existem alguns temas que dificilmente são abordados em conversas sobre planos dos casais, ou porque são simplesmente desagradáveis, ou porque são tabus, ou até mesmo porque tocam em certos traumas e temores que dificultam a condução do assunto. Entre esses temas, os mais comuns são:

– E se nosso casamento não der certo e tivermos que nos separar um dia?

– E se meu pai ou minha mãe tiver que vir morar conosco?

– Como você vai se virar se eu morrer?

– Como ficariam nossos filhos se um de nós, ou mesmos nós dois, morrêssemos?

– Nosso plano de saúde cobre vários meses de internação em uma UTI? Se não, como lidaríamos com uma doença ou um acidente grave? Quais planos seriam desfeitos? Quais bens seriam vendidos?

– Quais as chances de você desenvolver a doença que levou vários parentes em sua família? Há alguma forma de evitar isso? Requer algum investimento?

– Nosso seguro do carro cobre apenas R$ 100 mil de danos contra terceiros. O que faríamos se eu avariasse um carro de luxo bem mais caro que isso?

– E o que faremos se um de nós perder o emprego de uma hora para outra?

– E se a construtora de nosso apartamento falir?

– E se o processo que corre na Justiça nos condenar a pagar uma multa muito alta?

Enfim, esses são alguns exemplos de problemas que podem acometer qualquer família e que, quando não considerados com alguma antecedência, podem resultar não só em perdas, mas também na destruição da família. Além desses, há também os imprevistos que não são necessariamente ruins, mas que podem pesar bastante nas contas do casal, como:

– E se eu estiver mesmo grávida?

– E se nosso filho não passar em nenhuma universidade pública, mas for aprovado para estudar na melhor faculdade privada do país?

– Mamãe me disse que a herança do papai é bem maior do que eu imaginava. Mas temos que pagar o custo de inventário antes de começar o processo...

– E se ganharmos aquela passagem de ida e volta para Nova York?

Mas será que, diante de um imprevisto de enorme impacto financeiro, há algo que possa ser feito? Sim, sem dúvida! Quando os parceiros conversarem sobre o assunto, as reflexões podem seguir por dois caminhos: 1) temos condições de suportar um grande imprevisto, desde que mudemos nossos planos, ou 2) um imprevisto desse porte nos arruinaria, por isso é melhor começarmos a avaliar a contratação de um seguro ou melhorar o que já temos.

Desfazer planos não é interessante, mas, na falta dos devidos cuidados com antecedência, é a solução. Nesse caso, o ideal é que o plano B do casal considere alternativas, como locais de menor custo de vida para morar, antes mesmo de cogitar mudanças no estilo de vida. À medida que ficamos mais velhos, é mais fácil mudar de casa do que mudar hábitos.

Em um país de origem cultural latina como o Brasil, não é fácil nos afastarmos de pessoas queridas, mas, em muitos casos, a mudança de cidade ou de estado em busca de um custo de vida menor é uma solução interessante. Em vários países a migração na aposentadoria é tão comum que muitos se mudam para manter amizades, já que vários amigos partem em busca de menor custo de vida e bons serviços médicos. É o caso de norte-americanos que se mudam para a Flórida, de alemães que se mudam para a Grécia e de mexicanos que se mudam para Honduras, El Salvador ou Belize.

Por outro lado, se a mudança definitivamente não está nos planos do casal, o ideal é incluir quanto antes alguns mecanismos de proteção das finanças familiares:

- **Fazer um acordo pré-nupcial** para proteger o patrimônio de um dos dois, se ele for muito significativo antes do casamento, ou mesmo para proteger a integridade dos negócios dos quais um dos dois é sócio. No pacto, define-se o regime de partilha dos bens em caso de divórcio, com a opção de também definir regras detalhadas do que ficará com quem em uma eventual separação. Ao registrar em cartório sua vontade, o casal elimina o desgaste da disputa pela partilha dos bens. Há também a opção de fazer um acordo de comunhão universal de bens, quando os dois têm motivos suficientes para acreditar que, mesmo que o relacionamento não seja eterno, tudo o que eles possuem deve ser dividido igualmente.
- **Contratar seguros** que cubram possibilidades de perdas significativas para a família. Os mais importantes são os seguros de saúde, moradia e automóveis, para o caso de doenças e acidentes, e de vida, para preservar a condição econômica dos dependentes caso um dos provedores morra ou fique inválido. Apesar de a maioria das pessoas saber do que se trata e como funciona um seguro tradicionalmente, costuma-se contratar uma proteção muito aquém da que seria recomendada por um corretor de seguros. O motivo, em geral, é economia de custos. Caso a limitação do casal seja por falta de verba para o seguro, convém adotar um estilo de vida mais simples, que possa ser mantido tanto em termos de custo quanto de proteção.
- **Investir em planos de previdência privada do tipo VGBL, em nome dos dependentes.** Em caso de morte do contribuinte, esses planos funcionam como seguros, pois o saldo

costuma ser imediatamente disponibilizado aos dependentes, sem entrar em inventário. É uma opção interessante para casais que já contam com algum patrimônio e podem, dependendo da reserva financeira disponível, abrir mão da contratação de seguros de vida.

- **Manter registros organizados** do patrimônio, dos seguros contratados, dos acordos e do contato do advogado de confiança da família, em uma pasta que possa ser facilmente localizada pelos interessados em caso de morte, para que a família não sofra desgastes ainda maiores e não perca parte do patrimônio construído devido à morosidade da Justiça para localizar informações. Quanto mais bem documentada estiver a vontade do casal, mais rápido e eficiente será o processo de inventário e também de partilha, em caso de divórcio.

Como planejar o imprevisível

Por mais que não desejemos contar com imprevistos, a ideia de contar sempre com um plano B serve apenas para condicionar nossas mentes a agir racionalmente caso algo inesperado aconteça. Diante de uma dificuldade, um problema ou uma frustração, não é raro nos abalarmos emocionalmente e nos sentirmos desorientados. Isso pode dificultar escolhas caso não tenhamos um plano de ação para praticar.

O plano B nada mais é do que uma resposta, com caminhos a seguir, para duas perguntas que devem fazer parte da formulação de qualquer projeto pessoal ou do casal:

– E se o sonho não acontecer como o planejado?
– E se as coisas evoluírem muito melhor do que o esperado?

Se nada acontecer como imaginaram, vocês precisam levar em conta o que fazer, de onde tirar recursos e como encarar a situação. Vejam este belo exemplo de plano B que ouvi de uma participante de uma de minhas palestras:

> *Nosso sonho era fazer um cruzeiro, desses de três dias, mas pensávamos que estava muito fora de nossa realidade. Cotamos em uma agência e o preço mínimo que conseguimos, para o casal, foi de R$ 1.400. Porém, navegando na internet descobrimos, no último feriadão, que as operadoras anunciam ofertas para preencher vagas das pessoas que desistem na última hora. Um quarto para casal no mesmo navio que cotamos saía por R$ 600 pelos três dias, com todas as refeições incluídas! Já começamos a poupar R$ 50 mensais para, daqui a um ano, no próximo feriadão, aproveitarmos a promoção. E, se não conseguirmos esse desconto, já temos um plano B: resgataremos R$ 100 para duas idas ao cinema com direito a pipoca e deixaremos o restante do dinheiro rendendo até a próxima oportunidade. Tenho certeza de que realizaremos o sonho de viajar de navio! Enquanto não der certo, curtiremos da melhor forma o plano B.*

Já no caso de contratar uma proteção, como um seguro ou um VGBL, o plano B não pode ser tão simplista assim, pois não se trata apenas de uma vontade, mas da necessidade de preservar o que é fundamental para o casal ou a família. Por isso o ideal é contar com a ajuda de um corretor de seguros ou consultor financeiro para auxiliar nos cálculos do valor ideal para cobrir riscos, além de auxiliá-los na pesquisa e na escolha do produto com melhor relação custo-benefício.

Finalmente, vale a pena sugerir um interessante exercício de criatividade para agregar aos planos B do casal. Trata-se de pensar no que fazer quando os planos derem mais certo que o esperado. Quem não está acostumado a planejar pode achar isso uma estupidez, mas, acreditem, não é. Assim como podem dar errado, planos podem também nos surpreender positivamente.

Por exemplo, digamos que vocês decidam construir um imóvel para revenda e que, durante a obra, a rua em que ele está situado receba grandes melhorias na forma de obras públicas. Haverá uma valorização acima da média. Ou digamos que vocês sabiamente tenham optado por contratar um plano de previdência arrojado, para contribuições ao longo de 20 anos, mas que, no meio do caminho, um ótimo momento da bolsa tenha colaborado para que sua meta de poupança tenha sido alcançada antes da hora. Só para citar mais um exemplo, digamos que, contando com uma carta de crédito de um consórcio contemplado para a compra de um imóvel, vocês sejam convidados a participar de um leilão e consigam comprar um imóvel bem melhor do que o esperado, ou a preço mais baixo.

Essas são situações que, obviamente, devem agregar muito à felicidade do casal, mas que, se não forem pensadas racionalmente, podem ter seu resultado perdido em más escolhas feitas pela emoção. Vocês estarão preparados para identificar potenciais de melhoria nos arredores do imóvel a fim de exigir mais no momento da negociação? Embolsarão os ganhos inesperados da previdência ou se deixarão tomar pela ganância de ganhos maiores e perderão a oportunidade de resgatar um sonho que já foi conquistado?

Em qualquer dessas situações, ter a consciência do problema, estudá-lo e saber o que fazer no momento em que o coração bater mais forte é a receita para escolhas mais inteligentes e para uma vida de mais paz. E, consequentemente, também de mais saúde física e menos problemas para corroer o relacionamento.

9

Foco naquilo que vocês realmente querem

A busca de um futuro mais seguro
pode lhes render muitas coisas, sobretudo paz

Sem dúvida, o que vocês desejam ao buscar melhorar sua discussão sobre dinheiro é ter uma vida mais rica desde hoje. É mais recompensador desfrutar de nossa riqueza agora do que esperar o futuro, que é incerto, para talvez aproveitá-la com segurança.

Acreditem, esse recado que o cérebro nos dá, de que a recompensa é maior agora, merece ser levado em consideração. Tememos o futuro, mas não precisamos destruir o presente para garanti-lo. É possível, sim, aproveitar uma vida muito rica ao mesmo tempo que construímos nossa independência financeira. A chave está no equilíbrio.

Pensem bem antes de responder à seguinte pergunta:

O que vocês fariam em sua aposentadoria ou
ao conquistar a independência financeira?

Se pensaram em coisas do tipo "passaremos a viajar mais", "iremos ao cinema duas vezes por semana" ou "vamos receber mais os amigos em casa", vocês estão longe de pensar de maneira equilibrada as finanças do casal.

Equilíbrio é o mesmo que sustentabilidade. É fazer escolhas que durem para sempre. É não perder aquilo que já foi conquistado. Não adianta abrir mão da juventude hoje, pois correr atrás dela amanhã vai dar muito mais trabalho.

Como o artista na corda bamba, o equilíbrio requer zelo contínuo para ser mantido, pois as condições mudam, e a cada passo dado temos que restabelecer uma nova postura, ajustar-nos à nova realidade. Mas é mais fácil preservar o equilíbrio a cada passo do que abusar dele, cair e ter que começar tudo novamente.

Aprender a focar no equilíbrio é um desafio e exige maturidade. Confesso que, até conquistar minha independência financeira, fui avesso a qualquer tipo de dívida. Nunca paguei um carnê, poupava para pagar à vista tanto meu carro quanto meu primeiro imóvel. Hoje, vejo que fui um tanto apressado, poderia contar com um pouco mais de tempo, se fosse necessário. A Adriana me ajudou muito a manter o foco. Porém, uma vez conquistada minha independência financeira, a regra básica passou a ser preservar o patrimônio que temos. Toda grande aquisição, como carro, casa ou viagem, é paga preferencialmente parcelada, e ainda mais preferencialmente sem juros. Se eu tiver uma grande vantagem para pagar à vista, retiro dos investimentos e estabeleço um projeto de alguns meses de trabalho intenso ou de redução de gastos para "tapar o buraco". Afinal, conquistei o importante equilíbrio de poder sustentar minha família mesmo sem trabalhar.

Para ajudá-los a encontrar o tão gratificante equilíbrio e facilitar a condução do planejamento a dois, reuni algumas ideias, sugestões e relatos de pessoas que conheci em meu trabalho.

Exemplo de quem fez do limão uma limonada

A história a seguir foi contada por Lourdes, de Socorro (SP), durante um maravilhoso feriado que tirei para concluir este livro.

Tínhamos uma fábrica de estopa que ia bem e nos garantia um excelente padrão de vida, até que uma quebra de contrato de nosso principal cliente nos obrigou a fechar as portas. Da noite para o dia nos vimos sem renda e praticamente sem patrimônio. Aos 57 anos, meu marido não via meio de encontrar um emprego. Durante dois meses, tentou de tudo, e quase chegamos ao desespero.

Depois de uma longa conversa a dois – tivemos muito tempo para isso –, decidimos vender nosso único bem, um apartamento em Vespasiano, na Grande Belo Horizonte, por R$ 300 mil. Segundo corretores, o imóvel valia mais, mas precisávamos do dinheiro com certa urgência. Com R$ 200 mil, compramos uma chácara na cidade de Socorro, que não fica longe de Campinas, onde nossos filhos estudaram e hoje vivem. Com outros R$ 90 mil, montamos uma franquia de uma rede de lavanderias na cidade vizinha a Socorro, com duas funcionárias. Para nós, foi um verdadeiro recomeço, pois tivemos que pegar no batente para fazer o negócio funcionar. Como perdemos nosso belo carro importado na falência da empresa, tivemos que comprar uma caminhonete com 18 anos de uso. Segundo um vizinho, é vintage...

Parecia que seria difícil, mas, confesso, a tranquilidade da cidade que escolhemos para morar e a qualidade de vida daqui nos surpreenderam positivamente. Nossa casa na chácara é menor que nosso antigo apartamento, sem muito conforto e com alguns reparos a fazer. Não temos mais como manter a empregada doméstica, por isso nós mesmos fazemos a limpeza – nesse quesito, o imóvel pequeno se mostrou vantajoso. Pagamos uma diarista uma vez por semana, para o trabalho mais pesado. Apesar das limitações, todos os dias acordamos com vista para um nascer do sol maravilho-

so, ao som do galo cantando e respirando ar puro, a apenas 10 minutos de carro da cidade.

Nunca cozinhamos para nós mesmos, por isso tivemos que adotar o hábito de comer todos os dias fora de casa. Aos poucos estamos aprendendo a nos virar, mas ainda temos muito a aprender. Nosso cardápio se limita a sopas, polentas e, quando temos visita, churrascos. Já temos bons amigos na região. Aprendemos a aproveitar os fundos da chácara para criar galinhas e plantar nossa horta e algumas frutas. Como não estamos muito acostumados com isso, pedimos ao nosso vizinho para cuidar da produção em troca de metade do que é produzido.

Como a casa é pequena, evitamos ficar nela nos fins de semana. Já que temos tempo livre, começamos a circular pelas cidades próximas daqui e descobrimos estâncias minerais, alambiques, parques de esportes radicais, trilhas, cachoeiras e pomares que permitem comermos quanto quisermos de frutas, tudo a preços bem menores do que na cidade. Passamos a ver nossos filhos com mais frequência, pois eles também curtem a região em que moramos. Às vezes vamos a Campinas para fazer compras e aproveitamos o circuito cultural de lá.

Em poucos meses, constatamos algo incrível: a lavanderia nos gera uma renda equivalente a um terço da que tínhamos com a fábrica, nosso custo de vida está bem menor, mas estamos comendo fora com mais frequência, passeando por lugares incríveis todos os fins de semana, encontrando mais nossos filhos e gastando menos com saúde. Sem contar que, pelo ambiente que nos rodeia, nosso relacionamento ficou bem mais romântico e nossa cumplicidade é maior.

Em Vespasiano, íamos aos restaurantes de Belo Horizonte uma vez por semana, perdíamos um tempo enorme no trânsito, pagávamos caro pelo jantar e pelo estacionamento e ainda chegávamos em casa cansados. Por causa da fábrica, mal conseguíamos sair de nossa cidade, pois o trabalho nos consumia até nos fins de semana. Hoje, fim de semana é sinônimo de passeios e viagens.

Toda essa conquista é fruto da adoção de um estilo de vida mais simples, é evidente. Mas faço questão de ressaltar: não é mais pobre nem frugal como imaginávamos. Comemos melhor do que antes, exercitamo-nos com mais frequência, temos amizades descompromissadas, de gente tranquila e menos apegada a modismos. Temos a sensação de que fazemos muito mais com menos dinheiro. Se soubéssemos, teríamos vendido a fábrica bem antes, por um bom dinheiro. Por outro lado, não sei se esse dinheiro a mais faria tanta diferença.

O texto da Lourdes deixa claro que a maior riqueza que eles conquistaram ao focar em escolhas sustentáveis para o bolso do casal foi uma vida de mais experiências, mais saúde e mais tempo para eles mesmos. É claro que, com o dinheiro no bolso que ela acredita não fazer muita diferença, estariam muito mais preparados para algum imprevisto. De qualquer forma, esse é um incrível exemplo de prosperidade e qualidade de vida.

Obviamente, a ideia não é convencê-los de que a vida frugal no campo é sinônimo de inteligência financeira. Nem todos se adaptariam tão facilmente. Nem todos abrem mão das caras comodidades e conveniências das cidades grandes. Porém, alguns detalhes em suas escolhas podem mudar completamente o rumo de suas finanças.

Experimentem mudar algumas referências de consumo que pesam em seu bolso. Que tal trocar "grifes" por "brechós"? Ou, então, "moda" por "vintage"? E o que dizer de substituir "jantar fora" por "experiência gastronômica em casa"? Tudo depende de como vocês encaram aquilo que se propõem a fazer. Se essas mudanças viabilizarem grandes sonhos, é claro que valem a pena.

Dois caminhos para a mesma realidade

Vocês ainda têm grandes escolhas a fazer na vida, independentemente da idade que possuem. O exemplo da Lourdes, que conquistou qualidade de vida já perto dos 60 anos, deixa isso bem claro. As consequências das escolhas serão boas ou ruins dependendo da sua atitude diante dos desafios, dos planos B, de grandes obstáculos e de um jogo aberto para que um tenha no outro o estímulo para erguer a cabeça quando tender a desanimar.

Cada casal tem sua própria realidade, seu histórico, seus valores pessoais e suas referências familiares, e tudo isso influencia na forma como lidam com suas expectativas, frustrações e ansiedades. Por mais que eu exemplifique com casos de pessoas que tiveram sucesso, vocês podem encontrar um ou outro argumento para justificar o fato de o exemplo não se adequar à sua realidade.

Por isso quero finalizar minhas reflexões sobre escolhas, dinheiro e sucesso não com um exemplo real, mas com um roteiro fictício que reúne alguns dos mais comuns erros e acertos financeiros de casais ao longo de sua trajetória. Abaixo, vocês têm dois caminhos diferentes seguidos por Eduardo e Mônica. Os nomes fictícios são inspirados na deliciosa canção de mesmo nome, do grupo Legião Urbana, e foram escolhidos apenas para denotar que ambos têm perfis totalmente diferentes, mas uma sintonia incrível nas escolhas.

Eduardo e Mônica, casal jovem de 28 anos, moram em alguma cidade próxima a Brasília e decidiram se casar. Já resolveram os custos do casamento, vão começar a vida a dois sem dívidas, mas também sem poupança, e ainda estão para decidir algumas coisas realmente importantes, como moradia, bairro e carro. A renda apertada, de R$ 2.500 para o casal (R$ 1.500 dela e R$ 1 mil dele), não dá brecha para muitas escolhas fora do convencional. Para as grandes escolhas que têm a fazer, as consequências podem levá-los a caminhos totalmente distintos ao longo da vida. Vamos a eles?

CAMINHO TRADICIONAL	VIDA MAIS SIMPLES
Orçamento simplificado (Total: R$ 2.500): R$ 1 mil para moradia R$ 400 prestação do carro R$ 200 combustível R$ 300 supermercado R$ 200 contas de água, luz e gás R$ 200 telefone R$ 100 previdência privada R$ 100 extras	Orçamento simplificado (Total: R$ 2.500): R$ 200 previdência privada R$ 300 investimentos para planos R$ 400 lazer R$ 600 moradia R$ 300 transporte R$ 300 supermercado R$ 200 contas de água, luz e gás R$ 200 telefone
Optaram por comprar apartamento usado financiado, 80m², bairro residencial, dois dormitórios, 25 anos para pagar.	Optaram por alugar uma quitinete próxima ao trabalho da Mônica, 35m², contrato de dois anos.
Financiaram um carro usado, a ser pago em quatro anos.	Eduardo usa a bike para trabalhar nos dias de sol, carona ou táxi nos dias de chuva. De vez em quando alugam um carro para viajar nos fins de semana.
Os R$ 100 tratados como extras têm que dar conta do lazer e dos imprevistos. Não costuma sobrar quase nada e é comum ver esse dinheiro se evaporar para pagar juros de meses anteriores em que entraram no vermelho.	O casal tem uma vida social ativa, jantando fora a cada duas semanas e não perdendo nenhuma novidade no cinema e no teatro.

Dois anos depois, surge uma proposta para Mônica trabalhar em Lajeado, no Tocantins. É um contrato de dois anos, que pode ser prorrogado. A proposta é de R$ 2.200, mais moradia cedida pela empresa, porém o Eduardo terá de abandonar seu emprego se quiser acompanhá-la. Se ficarem como estão, a renda de Eduardo cresce em R$ 200 e a de Mônica aumenta R$ 300. A situação é a seguinte:

CAMINHO TRADICIONAL	VIDA MAIS SIMPLES
Eduardo e Mônica não conseguiriam, vivendo em Tocantins, continuar pagando o financiamento. Decidem continuar como estão.	O casal se muda para Tocantins, na esperança de se curtirem mais ainda e de fazer um pé-de-meia, já que o custo de vida lá é menor. A meta é ficar lá não mais que dois anos. Eduardo começa a fazer bicos, faturando R$ 300 por mês.
Poupança acumulada nos últimos dois anos: R$ 2.556 em previdência privada	Poupança acumulada nos últimos dois anos: R$ 5.112 em previdência privada R$ 7.668 em investimentos
Orçamento simplificado (Total: R$ 3.000): R$ 1 mil para moradia R$ 400 prestação do carro R$ 300 combustível e manutenção R$ 300 supermercado R$ 200 contas de água, luz e gás R$ 300 telefone R$ 300 previdência privada R$ 200 extras	Orçamento simplificado (Total: R$ 2.500): R$ 300 previdência privada R$ 800 investimentos para planos R$ 400 lazer Moradia paga pela empresa R$ 200 transporte R$ 300 supermercado R$ 200 contas de água, luz e gás R$ 100 telefone R$ 200 cursos a distância
Mantiveram o estilo de vida, mas com a vantagem de agora terem uma verba maior para a previdência e também para lidar com os extras.	Mantiveram a verba para o lazer, só que agora jantando fora duas vezes por semana. O custo do transporte é menor. Como estão mais tempo juntos, gastam menos com telefone. Com tempo livre, Eduardo passa a fazer cursos à distância regularmente. E passam a poupar bem mais.

Dois anos depois, Mônica e Eduardo decidem engravidar. É hora de rever planos, até porque são gêmeos.

CAMINHO TRADICIONAL	VIDA MAIS SIMPLES
A renda do casal subiu mais uma vez, e foi para R$ 3.200	O casal decide voltar para onde moravam antes. Por estar grávida, Mônica tem dificuldade para conseguir recolocação, mas sua experiência lhe garante uma oportunidade com ganhos de R$ 2 mil e agenda flexível. Já Eduardo, acumulando vários cursos à distância, consegue diferentes oportunidades em trabalhos avulsos, que devem garantir ganhos médios de mais R$ 2 mil.
Poupança acumulada nos últimos 4 anos: R$ 10.549 em previdência privada	Poupança acumulada nos últimos 4 anos: R$ 13.430 em previdência privada R$ 29.090 em investimentos
Orçamento simplificado (Total: R$ 3.200): R$ 1 mil para moradia R$ 500 prestação do carro R$ 300 combustível R$ 500 supermercado R$ 200 contas de água, luz e gás R$ 400 telefone R$ 200 previdência privada R$ 100 extras	Orçamento simplificado (Total: R$ 4 mil): R$ 300 previdência privada R$ 300 investimentos para planos R$ 400 lazer R$ 1.200 moradia R$ 700 transporte R$ 500 supermercado R$ 200 contas de água, luz e gás R$ 400 telefone
Com o fim do financiamento do carro, decidiram comprar outro também financiado, só que maior, para comportar os filhos. Outros gastos também aumentaram em consequência da gestação. Isso reduziu novamente a contribuição para a previdência e para os extras.	Alugaram um apartamento de dois dormitórios, 85 m², próximo ao trabalho de Mônica. Tiveram que comprar um carro e outros gastos aumentaram com a gestação. Isso os obrigou a reduzir os investimentos. Decidiram, porém, preservar gastos com lazer e bem-estar, fundamentais para sua felicidade.

Se o estilo de vida e o orçamento do casal forem mantidos inalterados por mais quatro anos, a situação final de poupança nas duas situações será a seguinte:

CAMINHO TRADICIONAL	VIDA MAIS SIMPLES
Poupança acumulada nos últimos 8 anos: R$ 24.276 em previdência privada	Poupança acumulada nos últimos 8 anos: R$ 33.373 em previdência privada R$ 53.269 em investimentos R$ 86.642 no total

Creio que fica clara a vantagem de, mesmo tendo vivido bem melhor, o casal ainda ter condições de dar uma boa entrada em um imóvel financiado ou poder dar um bom lance para contemplar uma carta de crédito em consórcio, objetivando ter a casa própria a partir do momento em que realmente buscam estabilidade na vida.

No caminho tradicional, as escolhas certamente foram bem-intencionadas, mas o custo envolvido e a perda de flexibilidade são reprováveis. Daí a recomendação pelo aluguel enquanto o casal ainda está em busca de seu lugar ao sol.

Providências a adotar após a leitura

Espero tê-los convencido de que juntar dinheiro a dois não é a mesma coisa que cuidar do dinheiro de cada um. A união e a cumplicidade são fundamentais. Mais do que isso, é preciso ter atitude e foco na construção a ser feita com o parceiro. Às vezes, um terá que puxar o outro, que tenta se desgarrar do caminho que construirá mais riqueza. Outras vezes será preciso segurar e lembrar o parceiro de que não haverá futuro se as necessidades e obrigações atuais forem esquecidas. Porém, esse sentimento de parceria será fundamental.

Percebam que a maioria das recomendações transmitidas neste livro exigem uma boa dose de confiança e sintonia do casal. Se esses elementos têm faltado na relação, sugiro que vocês tirem um tempo para uma conversa, só que não sobre dinheiro. O ideal é tirarem uns dias só para vocês, principalmente se tiverem filhos. Viajem, planejem como se fosse uma lua de mel. Comecem aquele papo "você está feliz?", mas limitem-se a resgatar objetivos, sonhos e vontades. Deixem a viabilização desses sonhos para um segundo momento.

Ouçam um ao outro. Segundo o filósofo Alain de Botton, não há gesto mais romântico do que passar uma hora ouvindo atentamente e com simpatia as ansiedades e esperanças de alguém. Isso abre portas para que vocês se conheçam cada vez melhor.

Se a intenção é realmente melhorar a vida financeira, abram a agenda e marquem o próximo feriado prolongado. Dediquem dois ou três dias para pôr ordem e fazer uma faxina em alguns elementos fundamentais da vida de vocês:

– orçamento do casal;
– organização das informações sobre patrimônio, seguros, previdência, contratos e documentos;
– controle dos investimentos;
– estratégia para entender e acompanhar com mais frequência os investimentos.

Lembrem-se também de que dinheiro não é tudo na vida. Está longe de ser. Por isso incluam nesse sabático organizacional uma longa e entusiasmada conversa sobre sonhos. Abram um vinho. Selecionem boas músicas. Façam, cada um, uma pesquisa prévia sobre o que querem conversar. Resgatem momentos e situações do passado que foram importantes para vocês. Enfim, cuidem do relacionamento. Se o dinheiro realmente for pensado a dois, vocês certamente fortalecerão muito a relação. Torço para que essa relação seja única e extremamente rica, por todos os dias de suas vidas.

> *"E quando o amor ao dinheiro, ao sucesso, nos estiver deixando cegos, saibamos fazer pausas para olhar os lírios do campo e as aves do céu."*
>
> ÉRICO VERISSIMO,
> *OLHAI OS LÍRIOS DO CAMPO*

Agradecimentos

Este livro não aconteceria sem a preciosa ajuda de pessoas que muito me inspiraram e ajudaram nos últimos anos. Devo o mais sincero agradecimento à Adriana, amor de minha vida, grande parceira nesta gratificante jornada e minha fonte de inspiração.

Agradeço também a todos que, em razão do tempo que dedico à Educação Financeira, sentem falta de um pai, filho, irmão, tio, sobrinho, primo e amigo que poderia estar mais presente, mas assumiu essa responsabilidade com paixão e dedicação. Em especial, obrigado a meus filhos, Guilherme, Gabrielle e Ana Carolina, e a meus pais, Elza e Tommaso.

Anderson Cavalcante, mais que um editor, tem sido meu escudeiro nas letras. Fico feliz de estar com você na maior editora do país. E agradeço imensamente à família Sextante, caros Geraldo (para sempre em nossa lembrança) e Regina e seus filhos Marcos e Tomás, verdadeiros apaixonados por livros e pela leitura, que me receberam de braços abertos para um projeto de levar mais longe a educação financeira.

Um obrigado especial ao Christian Barbosa, que, além de amigo, parceiro, inspirador e confidente, ajudou-me a estruturar a pesquisa que faz parte deste livro. Obrigado a Gislaine Martins e Ricardo Sam, do *Programa 2 em 1*, da Rádio Transamérica, que ao me manterem como parceiro permanente na programação ao vivo, fizeram com que a discussão das finanças dos casais passasse a ser também um debate permanente em minha vida.

E o mais importante, agradeço aos leitores, ouvintes, seguidores, críticos e parceiros que, de alguma forma, colaboraram com dúvidas, comentários, elogios, críticas e palavras de incentivo para que eu continuasse lapidando conhecimento até hoje.

INFORMAÇÕES SOBRE OS PRÓXIMOS LANÇAMENTOS

Para saber mais sobre os títulos e autores
da EDITORA SEXTANTE,
visite o site www.sextante.com.br
ou siga @sextante no Twitter.
Além de informações sobre os próximos lançamentos,
você terá acesso a conteúdos exclusivos e
poderá participar de promoções e sorteios.

Se quiser receber informações por e-mail,
basta cadastrar-se diretamente no nosso site.

Para enviar seus comentários sobre este livro,
escreva para atendimento@esextante.com.br
ou mande uma mensagem para @sextante no Twitter.

EDITORA SEXTANTE
Rua Voluntários da Pátria, 45 / 1.404 – Botafogo
Rio de Janeiro – RJ – 22270-000 – Brasil
Telefone: (21) 2538-4100 – Fax: (21) 2286-9244
E-mail: atendimento@esextante.com.br